中国現代化の新たな道のり

指標　データ　国際比較

聶輝華　鄒静嫺　著
蒲田啓世　訳

グローバル科学文化出版

目次

第四章　中国現代化の歴史的過程と重要なステージ

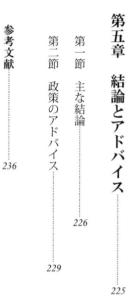

概要

習近平総書記が中国共産党第十九回全国代表大会で、二〇二〇年の小康社会[1]の全面的な実現を土台に、二〇三五年までに社会主義現代化を基本的に実現し、二〇五〇年までに中国を富強、民主、文明、調和の美しい社会主義現代化強国にするという中国の「現代化国家への新たな道のり」を提示した。これは「二つの百年[2]」という目標のアップグレード版とも言える。中国の「現代化国家への新たな道のり」の提出は、中国現代化事業の実現に関して新たな目標を設けたと共に、「中国の夢」の実現に新たな意味合いをもたらし、中国共産党および中国全国の活動に新たな方向を示した。

「現代化国家への新たな道のり」は、習近平新時代の中国の特色ある社会主義思想の内在的要素であり、その論理を理解する起点は中国の歴史的背景と国家の運命を理解することだ。本

（1）小康とは「礼記」に由来し、大同という理想的な社会に向かう一つの段階で「安定しやや余裕がある状態」を指す。
（2）「中国共産党結党百周年（二〇二一年）」と「中華人民共和国建国百周年（二〇四九年）」。

書では政治経済学の視角から「現代化国家への新たな道のり」の歴史的背景と理論の論理を解説する。

それぞれの国や地域の現代化の進展度合いをはかるために、本書では習近平総書記が提出した「五大文明」（物質文明、政治文明、精神文明、社会文明、生態文明）の理念を基礎とし、独自の現代化国家指標システムを作り上げた。この指標システムは、物質文明・政治文明・精神文明・社会文明・生態文明の五つの大まかな一級指標から成り立ち、その五つの一級指標をより細かな二級指標に分け、そこから更に具体的な三級指標へと分けたものだ。その三級指標への評価とスコアを通じて特定の国家あるいは地区の現代化の進展度合いをはかることが可能だ。「五大文明」に基づいて作られた現代化指標システムは、既存の現代化指標システムと比べ、完備性、量化性、生産性、比較性がより優れたものとなっている。

続いて、「五大文明」の視角からアメリカ、イギリス、ドイツ、日本、韓国の現代化プロセスを詳細に研究し、そこから現代化における七つの規則性を見出した。その上で、「五大文明」の視角から中国の現代化プロセスを考査し、二〇三五年、二〇五〇年における中国と主要国家との経済成長目標の比較を行った。

最後に、中国の現代化強国の実現に向けたチャンスおよび挑戦を分析し、さらに若干の政策提案を書き記した。

第一章　新目標

――中国現代化の新たな道のり

第一節　歴史的背景
――千年の文明と百年の移り変わり

中国文明は世界で最も歴史の長い文明の一つであり、古代四大文明の中で唯一今日まで継続されている文明だ。五千年に渡る年月を越え、今になってもまだ発展し続ける中国文明は、人類史上の奇跡と捉えても過言では無いだろう。中国文明は歴史が長いだけでなく、様々な文化や発明を人類にもたらし、長期に渡り世界文明をリードしてきたのだ。

古代中国の四大発明（紙、羅針盤、火薬、印刷術）がヨーロッパの科学界を賑わせ、世界の近代文明を大きく進歩させたことや、「シルクロード」が西漢文明と東ローマ文明の交流を深め、東洋と西洋の間に文化交流の通り道を築いたこと、そして盛世の唐王朝が世界の中心国家となり、長安が「世界の首都」として認知され、時が過ぎ清王朝になってもなお中国が世界経済の中心であり続けたことは、中国文明が世界へもたらした影響の大きさを物語っている。

中国と世界経済に関する統計データが近代中国の経済的地位を表している。経済史家ポール・

ベロック（Paul Bairoch）[1]の考察によると、清王朝の最盛期である乾隆帝時代の末期ごろから嘉慶帝時代初期頃の中国の経済発展レベルが西ヨーロッパと同等の水準だった。表1—1にて、一八〇〇年時の主要国家或いは主要地区の一人当たり国内総生産は、西ヨーロッパ（二一五ドル）、東ヨーロッパ（一七七ドル）、北米（二三九ドル）、日本（一八〇ドル）、中国（二一〇ドル）と表されている[2]。一八〇〇年当時の中国と西ヨーロッパの経済発展レベルはほぼ互角だったが、年代の経過と共に両者の経済レベルの差

（1）Bairoch, Paul. The Main Trends in National Economic Disparities since the Industrial Revolution in Paul Bairoch, Maurice Levy-Leboyer,eds. Disparities in Economic Develop-ment since the Industrial Revolution,London: Palgrave Macmillan, 1981.
（2）一九六〇年当時の米ドル換算。

表 1-1　18 ～ 20 世紀の中国と世界主要国・地域の 1 人当たり国内総生産

単位：1960 年当時の米ドル換算

年	西ヨーロッパ	東ヨーロッパ	北アメリカ	日本	中国
1750	190	165	230	180	———
1800	215	177	239	180	210
1860	379	231	536	175	195
1913	693	412	1333	310	188
1938	868	566	1527	660	187
1950	928	588	2364	405	166
1970	2098	1606	3547	2130	306
1977	2491	2149	4168	2830	346

出典：bairoch（1981）、梁柏力（2000）からの引用。

がどんどん開いていくのが分かる。米カリフォルニア大学経済史学家であるケネス・ポメランツの著書『大分岐——中国、ヨーロッパ、そして近代世界経済の形成』[1]の中でも、一八〇〇年以前の時代では中国と西ヨーロッパの生活および生産の水準はほぼ同等だったと記されている。ケネス氏は中国清王朝の江南地区とヨーロッパのイングランド地区の農民・小作農家・市民の生活を比較し、彼らの水準ほぼ同じだったと結論付けた。中欧間の分岐はおおよそ一八〇〇年以降に発生したものだ。特に有名なのは世界経済史の専門家であるアンガス・マディソンによる早期の国際比較で、彼の統計によると一八二〇年の中国の国内総生産（GDP）が全世界の三三%を占め、世界最大の経済大国だったことが分かる。一人当たりの数値で見ると、一五〇〇年頃（明王朝中期頃）の時点で西ヨーロッパの購買力平価（PPP）は同時期の中国より高かったが、一八二〇年頃（清王朝嘉慶帝時代末期頃）にもなると西ヨーロッパの購買力平価は中国の二倍にものぼり、同時期のイギリスにおける同数値は実に中国の三倍だった。[2]

一八四〇年より勃発したアヘン戦争が世界にもたらした影響は非常に大きい。アヘン戦争前、「世界文明の天秤」は確実に東洋側に傾いていた。しかしアヘン戦争が終わると「世界文明の天秤」は西洋へと傾きだしたのだ。アヘン戦争が約百年にわたる近代中国の屈辱の歴史を巻き

（1）川北稔監訳、名古屋大学出版会、二〇一五年。
（2）梁柏力『誤解された中国——明清時代と今日』、北京、中信出版社、二〇一〇年。

起こしたとも言える。一八四二年、アヘン戦争でイギリスに負けた清国の政府が、近代中国における初めての不平等条約である南京条約を締結させられた。南京条約では、イギリスへの領土割譲、多額の賠償金、そして貿易港の開放が要求された。その後立て続けに、アロー戦争、清仏戦争、日清戦争、義和団の乱が発生した。英、米、仏、露、日、独といった列強国にとどまらず、スペイン、ポルトガル、ベルギーなどといった欧州小国までもが中国で領土を侵略し、賠償金を取り立て、租界を設け[1]、港を開放し、税収を減らし、不正な利益を得るなどした。専門家の統計によると、一一〇〇以上にも及ぶ数多くの不平等条約が帝国主義の国家によって締結させられ、中国に対し大規模な略奪を行ったとされている。ここ数百年で、銀約一千億両相当に及ぶ賠償金が、不平等条約によって他国により略奪されていた。その中でも南京条約、下関条約、北京議定書など八つの不平等条約によって要求された賠償金額は銀一九・五三億両に値し、その値は一九〇一年当時の清政府の年収入の十六倍ほどだった[2]。日本は下関条約に基づき銀二・三億両を要求したが、その値は当時の日本の国家財政約四年半分ほどの額だった。

一八四〇年以降、中国は貧困で衰弱な低迷期へと陥り、「数千年の歴史の中で前代未聞の大変革期」[3]に直面することとなった。清朝の崩壊後、乱闘・内戦が数十年にわたって続き、後に

(1)　中国に設けられた外国の租借地区。
(2)　李文海「晩清歴史の屈辱記録 —— 中国近代不平等条約の書」まえがき、清史研究、一九九二年。
(3)　梁啓超『李鴻章伝』、西安、陝西師範大学出版社、二〇〇九年。

抗日戦争および解放戦争が勃発することとなった。

一八四〇年から一九四九年、中華人民共和国の建国に至るまでの約百年間、中国人民が受けた苦難や屈辱は史上最もひどいものだったと言えるだろう。中国の大衆は長期にわたり、国家が主権を失ったことにより、数多の恥辱を受けることとなった。外敵に侵略され、飢えて凍え、内戦の途絶えない悲惨な状態が続いた。故にほとんどの中国の人々はどの時代の人よりも平和を望み、「落ちぶれれば叩かれる」ような状況から抜け出したいと考え、国家の富強と民族の振興を望んでいる。これは正しく習近平総書記が表明した「中華民族の復興は近代以来の中国における、中華民族の最も偉大な夢だ」[1]という言葉の通りであり、またこの「夢」こそが、中国人民一人一人の「チャイナドリーム」だ。中華民族の千年間の輝きと百年間の大変化を深く理解することこそが、中華民族の偉大な夢、中国共産党の歴史的地位、そして習近平総書記の発案した「現代化国家への道のり」をより深く理解する一歩なのだ。

しかしながら、夢へと続く道は決して平らではない。それはとても険しくとても長い道のりだ。正しく習近平総書記が指摘した、「中華民族には五千年以上の文明史があり、その歴史と文明が華麗な中国文明を作り上げた。人類のために卓越した貢献をし、世界上でも偉大な民族

(1) 習近平『小康社会(ややゆとりのある社会)の全面的完成の決戦に勝利し、新時代の中国の特色ある社会主義の偉大な勝利をかち取ろう――中国共産党第十九回全国代表大会での報告』、北京 人民出版社、二〇一七年。

である。しかしアヘン戦争後、中国は内憂外患な暗黒の境地と化してしまった。中国人民は途絶えぬ乱戦を経験し、国中がぼろぼろになり、安心して暮らすことさえままならない苦難を乗り越えてきた。民族の復興にあたり、多くの有志による不屈な努力や、戦友のしかばねを乗り越えるような光栄ある闘争、そして様々な試みが繰り返された。しかしながら未だに旧中国社会の性質や中国人民の悲惨な運命は払拭しきれていないのである」[1]という言葉の通りだ。

（1）習近平『小康社会（ややゆとりのある社会）の全面的完成の決戦に勝利し、新時代の中国の特色ある社会主義の偉大な勝利をかち取ろう――中国共産党第十九回全国代表大会での報告』、北京　人民出版社、二〇一七年。

第二節　時代の使命
――立ち上がる、豊かになる、強くなる

中国の運命を変えたのは歴史からも分かるように中国共産党であり、「中華民族の偉大な復興」を導くのも中国共産党だ。「中華民族の偉大な復興」という総目標を実現する過程において、各段階には異なる重点があり、時代ごとに異なる使命がある。

一九一七年、ロシア十月革命と共にマルクスレーニン主義を中国政治に取り入れ、一九二一年には中国共産党が成立した。中国共産党は「中華民族の偉大な復興」を自らの歴史的使命と決心し、今日も努力を続けている。中国共産党は一致団結させた国民を率いり、「農村から都市を包囲する」「武装で政権を奪取する」といった然るべき革命の道を歩んできた。北伐戦争、土地革命戦争、抗日戦争、全国解放戦争を経て、一九四九年十月一日に中華人民共和国は建国の日を迎える。中華人民共和国の成立と共に毛沢東を代表とした中国共産党指導部が人民を引っ張り、「立ち上がる」ことに成功した。それ故に中国は民族の独立、人民の解放と国家の

実に大きな一歩だった。「立ち上がる」ことは「中華民族の偉大な復興」の第一歩であり、それは確実に大きな一歩だった。

「中華民族の偉大な復興」の第二ステップは「豊かになる」、すなわち人民の衣・食・住の確保を大前提に、ゆとりのある生活を実現することだ。中華人民共和国は成立初期、政権を固めつつ、経済を潤わせることに徹した。一九五四年九月の第一回全国人民代表大会第一回会議の「政府工作報告」で、周恩来総理は「中国の経済は立ち後れている。もし我々が強大な現代化した工業、農業、交通運送業、国防を構築しなければ、後れと貧困から脱却することは不可能で、我々の革命は本来の目的に達することができない」[1]と指摘した。一九六〇年一月四日、周恩来は「社会主義経済を築くにあたり、我々は工業現代化・現代化農業・現代化科学文化・現代化国防の〝四つの現代化〟を実現する必要があり、それを満たしてこそ豊かで強い社会主義国家のあるべき姿である」[2]と明確に述べた。一九七八年以降、鄧小平を代表とした中国共産党指導部が改革開放の戦略を堅持した。農村地区では生産責任制、都市部では国有企業改革の推進、経済特区の設立、沿海都市の開放、沿海経済開発区の設立、そして民間企業ならびに非公有制経済の発展を進め、中国は一歩ずつ着実に経済大国へと近づいた。急速に成長する中国経済のも

（1）　劉国新「周恩来と四つの現代化」、人民網、二〇一〇年十一月二日。
（2）　同上。

と、鄧小平は「三ステップ」の経済発展戦略を発案した。一九八七年四月三十日、スペイン副首相ゲラとの会談に鄧小平は初めて「三ステップ」経済発展戦略のプランを発表した。彼は「我々の最初目標の第一ステップは、二十世紀八十年代のうちに〝倍にする〟ことである。一九八〇年を基数とし、当時の一人当たり国民総所得はたったの二百五十米ドルしかないが、二十世紀八十年代には倍にする五百米ドルを目指す。そして、第二ステップは二十世紀末に更に倍にすることで、一千米ドルを目指す。この目標を実現することは我々が小康社会（ややゆとりのある社会）になったことを意味し、貧しい中国はややゆとりのある中国へと変わる。その時のGDPは一兆米ドルを超える見込みで、一人当たりの数値はまだ低いものの、国家単位では大きな増加があったと言えるだろう。そして我々の目標で最も重要なのは第三ステップであり、それは二十一世紀に三十～五十年でさらに二倍にするということで、それはつまり、一人当たりおおよそ四千米ドルという計算になる。このステップまで来れば、中国は中等先進国のレベルに達したと言えるだろう」[1]と述べた。一九八七年十月十三日、ハンガリー社会主義労働者党書記長カーダールとの会見で鄧小平は「三ステップ」の発展戦略に関して「我々の第一ステップは最低限の衣食住の確保であり、それは既に解決している。第二ステップは二十世紀末にややゆとりのある経済水準に達することであり、第三ステップは二十一世紀の五十年内に中等先進

（1）鄧小平「歴史経験の吸収と錯誤傾向の防止」、『鄧小平文選』第三巻、北京、人民出版社、一九九三年。

国のレベルに達することである」[1]と別の視角から解説していた。一九八七年十月、中国共産党第十三回全国代表大会で鄧小平の発案した「三ステップ」の戦略目標が決議された。ちなみに世界銀行の統計では一九八七年時点で中国の一人当たり国民総所得は六百三十米ドルに達していたため[2]、中国は事実上三年繰り上げて衣食問題をほぼ解決し、ややゆとりのある社会へと歩み始めていたことになる。

一九九二年の中国共産党第十四回全国代表大会で社会主義市場経済体制の改革目標が確定された。これにより中国経済が飛躍的に上がり始め、GDPは高度成長期へと突入した。中国共産党と国家の指導者は新たな社会情勢に基づいて新たな経済発展目標、ならびに戦略部署を立ち上げた。一九九二年十月、中国共産党第十四回全国代表大会で、江沢民総書記は初めて「二つの百年」といった目標を提案した。その内容は「二十世紀九十年代のうちに新たな経済体制を確立し、第二ステップの小康社会を実現する。そこから二十年間努力し続け、中国共産党建党百周年の際には、各方面においてより成熟し、より合理的な制度を確立する。そして、二十一世紀中ごろの建国百周年の際には発展目標の第三ステップに到達させ、社会主義現代化を実現させる」といったものだった。一九九五年、当初二〇〇〇年を予定していたGDPを

(1)　鄧小平「我々の事業は全新事業である」、『鄧小平文選』第三巻、北京、人民出版社、一九九三年。
(2)　世界銀行ウェブサイト「世界開発指標（World Development Indicators）」、単価は二〇一〇年当時の米ドルベース。

一九八〇年の二倍にするといった目標を事前に達成した。同様に、二〇〇〇年の一人当たり国民総所得を一九八〇年の二倍にするといった目標も一九九七年に事前に実現させた。これを背景に、江沢民総書記は一九九七年の中国共産党第十五回全国代表大会で、二十一世紀最初の十年で二〇〇〇年の二倍を目指し、人々の生活をより豊かにすることを「小康社会（ややゆとりのある社会）」の新たな発展目標として発表した。二〇〇二年十一月の中国共産党第十六回全国代表大会で江沢民総書記は「我々は今世紀の最初の二十年で力を合わせ、十数億人の国民の経済水準を全体的に高め、全体的に小康社会を築く必要がある」と発言した。その発言がきっかけとなり、「全体的に小康社会を築く」ことが中国社会発展の大きな方向性となったのだった。[1]

二〇一二年、胡錦濤総書記は中国共産党第十八回全国代表大会の報告の中で、「国際情勢を見ると、中国経済は依然として大いに成長する余地があり、今は誠に得難い機会である」と指摘し、「二〇二〇年には全体的に小康社会を実現する」と一歩進んだ目標を掲げた。中国政府はこれまでとは違い、具体的に数値化したGDP目標は設定しなかったものの、従来通り十年ごとに二倍になると仮定して計算すると、二〇一〇年の中国GDPは四一兆三〇三〇億元であ

（1） 張愛茹は中国共産党第十八回全国代表大会の経済発展目標に関するまとめた。張愛茹「〝ゆとり〟から〝全体的なゆとり〟へ――鄧小平のゆとりある社会理論の形成と発展の論述」、『新中国六十年研究文集（三）』、北京、中央文献出版社、２００９。

り、二〇二〇年はその二倍の八二兆六〇六〇億元になる見込みだが[1]、実際は二〇一七年の段階で既にＧＤＰは八二兆七五四億元[2]に達していたため、従来の「ＧＤＰを二倍にする」も事実上実現したことになる。

また、世界銀行は各国の所得状況に基づき、世界の国々を四つの所得グループに分類しており、その基準値は毎年改訂される。二〇一七年の最新基準では一人当たりＧＩＮ（国民総所得）が九九五米ドル以下の国家を低所得国、九九六～三八九五米ドルの国家を低・中所得国、三八九六～一万二〇五五米ドルの国家を中・高所得国、一万二〇五六米ドル以上の国家を高所得国と分類している[3]。世界銀行のデータでは、二〇一六年の中国の一人当たりＧＩＮは八二五〇米ドルで、中・高所得国に分類されることになる。

統計データに基づいた推測、或いは世界銀行の分類、どちらの視角から考えても「中国が二〇二〇年には全体的に「小康社会を築く」といった目標はほぼ確実に実現可能であると確信することができる。これは、鄧小平の発案した「三ステップ」の戦略目標のうち、三分の二を既に達成したこと、「一つ目の百年」の目標が実現したこと、そして中華民族が「豊かになる」といった願いを叶えるための一歩を確実に歩み始めたことを意味するのだ。

（1）聶輝華「中国経済の成長目標に関するいくつかの重要な問題」、財新網、二〇一七年十一月十四日。
（2）「国家統計局二〇一七年度国内総生産値（ＧＤＰ）最終公告」、国家統計局ウェブサイト、二〇一九年一月十八日。
（3）出典：世界銀行ウェブサイト。通貨単位はアトラス法に基づいて計算された米ドル。

「中華民族の偉大な復興」は経済面の発展のみに留まらず、中華民族が世界民族の舞台に再び上がったことこそが重要なことだ。かつて中華民族が漢、唐、宋、清の時代で大繁栄していたように、「民族の復興」は中国が再び強国になるため、努力するべきであることを意味する。中国は経済強国だけでなく、政治強国にもなるべきなのだ。一九四九年の中華人民共和国建国から、中共十八大までの発展目標では、当時の国内外の情勢に基づいて「強国」といった記述は無かったが、歴史の背景と時代の発展が新時代の使命である「強くなる」を生みだし、新時代の中華民族の共通の願いへとなっていったのだ。

第三節　新たな道のり――「中国の夢」と「二つの百年」のアップグレード版

習近平を中心とした新たな中共中央指導部は時勢を推し量り、大局を見据えて新たな目標を掲げ、中国の発展に新たな方向を示し、中華民族の偉大な復興に向けて新たな指針を確立した。まず、習近平総書記は「中華民族の偉大な復興」の大きな目標として「中国の夢」を掲げた。二〇一二年十一月二十九日、中共中央総書記となった習近平が国家博物館で「復興の道」の展覧を参観した際に「中国共産党成立百周年の時には全体的に小康社会が実現し、中華人民共和国成立百周年の時には富強・民主・文明・調和の美しい社会主義現代化強国になることを確信している」[1]と発言しており、ここで提起された「二つの百年」の目標は、「中国の夢」を実現する経路とも言えるだろう。

では、「中国の夢」とは一体何なのか。二〇一四年二月十八日、習近平総書記が国民党の連戦らと会見した際に「中国の夢」に関して以下のように論述している。それは「〝中国の夢〟

(1)　ここ五年で習近平は幾度に渡り「中国の夢」に関してこのように言論している、人民網、二〇一七年十一月二十九日。

とはすなわち、中華民族の偉大な復興を成し遂げ、富強国家となり、民族文化をより振興させ、全人民が幸福であるということだ」といった内容であり、これは近代の多くの中国人の願いでもある。それ以降、習近平総書記は多くの場面に渡り、「中国の夢」といったワードを幾度も出しており、中国共産党第十九回全国代表大会の報告では「中国の夢」十三回も提起された[1]。二〇一三年三月十七日、第十二回全国人民代表大会の第一回会議で習近平は、「〝中国の夢〟とはつまり人民の夢であり、必ず人民に寄り添いながら、人民の幸せを最優先に実現していく必要がある[2]」と述べていた。また、二〇一五年九月二十二日、ウォール・ストリート・ジャーナルのインタビューを受けた際も「〝中国の夢〟の根本は中国人民の幸せな生活を実現することで、〝中国の夢〟を理解するには歴史と現実の二つの視角から知る必要がある」と答えている。

続いて、習近平総書記は中国共産党第十九回全国代表大会で「二つの百年」目標のアップグレード版といったものを発案し、その内容は全面的に社会主義現代化国家への「新たな道のり」を切り開くというものだった。習近平総書記は二つ目の百年、すなわち建国百年へ向けた目標を二つのステップに分け、社会主義の「現代強国」建設という新しい時代の目標を初めて打ち出した。その具体的な内容は「第一ステップは二〇二〇年から二〇三五年までの間に全体的に

---

(1) 習近平『小康社会(ややゆとりのある社会)の全面的完成の決戦に勝利し、新時代の中国の特色ある社会主義の偉大な勝利をかち取ろう——中国共産党第十九回全国代表大会での報告』、北京、人民出版社、二〇一七年。

(2) 習近平「第十二回全国人民代表大会の第一回会議での演説」、中国人大網、二〇一三年三月十八日。

小康社会を作り上げた上で、更に十五年間奮闘し、社会主義の現代化を実現する。その時には、中国の経済力、ならびに科学技術は飛躍的な成長を遂げ、革新的な国の先頭に立つ。人民の平等な参加と平等な発展の権利は十分に保障される。法治国家・法治政府・法治社会が基本的に完成し、各方面の制度がより完備され、国家ガバナンスシステムとガバナンス能力の現代化が基本的に実現する。社会文明のレベルは上がり、国家文化のソフト・パワーはより強いものとなる。中華文化の与える影響はより広範囲になり、人民の生活はより余裕のあるものになる。中等所得層の比重が上がり、都市部・農村地域の発展格差と住民生活水準の格差が著しく縮小し、基本的な公共サービスの均等化が基本的に実現し、国民全体の裕福へ向けて一歩ずつ着実に進む。現代社会のガバナンスの構造は基本的に形成され、活気あふれた秩序ある調和な社会を創り出す。生態環境も整え、美しい中国を基本的に実現する」といったものだ。

また「第二ステップでは、二〇三五年から二十一世紀の中ごろにかけて、基本的に現代化を実現した上で、さらに十五年奮闘を続け、国家を富強・民主・文明・調和の美しい社会主義現代化強国に育て上げる。その時には、中国の物質文明、政治文明、精神文明、社会文明、生態文明が全面的に向上し、国家ガバナンスシステムとガバナンス能力の現代化を実現し、総合的な国力と国際的な影響力をリードする国家になる。国民全体の裕福が基本的に実現し、中国人民はより幸福で安康な生活を享受し、中華民族はより胸を張って世界民族の中で立ち続けることができる」とも述べていた。

では習近平総書記は何故「新たな道のり」を提案するのか。ここではその理由を解説していく。まず、一つ目の理由として、「新たな道のり」の提案は発展目標の具体化といった役割がある。従来の十年に一度の中共中央にて設定された発展目標は基本的に十年ごとのGDPを「倍にする」といった類のものだったが、例えば習近平の提案した二〇二〇年から二〇五〇年の間で社会主義現代化の実現といった目標は三十年単位の期間であり、これはつまり幾代に及ぶ中央政府に対しての目標なのだ。それ故に二〇五〇年までの発展目標を達成させるためにはいくつかの具体的で段階的な目標が必要になってくるので、具体化の役割があると言える。二つ目に、「新たな道のり」の提案は時代の需要だという理由がある。中国が「立ち上がる」といった目標に続き「豊かになる」といった目標も基本的に実現したため、次は「強くなる」に関連した目標が必要なのだ。新たな発展目標はその時代の需要に基づく必要があり、それこそが「社会主義現代化強国」なのだ。

では、「新たな道のり」はどこが新しいのだろうか。その一つ目はその提案方法にある。中国共産党は歴史の使命感を背負った政党であり、誕生したその日から中国の富強と民族の復興を自らの目標とし、今日まで奮闘し続けている。中華人民共和国の成立以来、中共と政府は「現代化」を重要な目標としてきた。ここにおける「現代化」とは経済と科学技術の発達であり、それは民族復興の具体的な現れとも捉えることができる。中華人民共和国の成立後、毛沢東主席は「我々の任務は落ち着いて着実に、我が国に現代化した工業・農業・科学文化・国防を創り出すことだ」[1]と述べていた。それにより「四つの現代化」が一貫して中国経済建設を推し進めるための発展目標となったのだ。中国共産党の基本路線は明確に規定されており、それは「指導者と全国の各民族の人民が団結し、より良い経済を築きあげることを中心に、四つの現代化を原則とし、改革開放を続け、自力更生し、苦労して創業し、中国を富強・民主・文明・調和の美しい社会主義現代化強国にするために奮闘する」といったものだ。我々の統計によると、「現代化」というワードは『習近平が国政運営を語る（原題・習近平談治国理政）』（第一巻）で九十七回出現しており、『習近平が国政運営を語る』（第二巻）でも七十二回も出現しており、二〇一二年末の中国共産党第十八回全国代表大会の閉幕から二〇一七年末の中国共産党第十九回全国代表大会の閉幕にかけての五年間に習近平の演説では合計五百七十四回も出現している。

中国共産党第十九回全国代表大会で、習近平総書記は世界に向け、「中国の特色ある社会主義は新時代に突入し、これは中国発展の新しい歴史的方向である」[2]と述べた。新時代に応じた新目標・新戦略・新任務は必須であり、二〇二〇年前に全体的に小康社会が作り上げられたことを考慮すると、元々二〇五〇年を予定していた中国の基本的な現代化を実現するという目標

（1）毛沢東「中国・ネパール境界は永遠に和平友好である」、『毛沢東文集』第八巻、人民出版社、一九九九年。
（2）習近平『小康社会（ややゆとりのある社会）の全面的完成の決戦に勝利し、新時代の中国の特色ある社会主義の偉大な勝利をかち取ろう —— 中国共産党第十九回全国代表大会での報告』、北京、人民出版社、二〇一七年。

は事前に実現することが可能で、そのためには二〇五〇年にはより新しく、より高い発展目標が必要になってくる。物質文明・政治文明・精神文明・社会文明・生態文明の全面的なレベルアップ、そして総合的な国力と国際影響力を持った「現代化強国」こそが時代の需要に合った新しい目標なのだ。

続いて二つ目は、プロセスの新しさだ。中国共産党第十九回全国代表大会以前の中共と国家の発展目標は、二十一世紀中ごろ、すなわち建国百年時に現代化を基本的に実現することとなっていた。しかし、中国共産党第十九回全国代表大会の報告によると、中国は二〇三五年に現代化を基本的に実現するという方針があり、これはつまり従来の目標を十五年早く実現することになる。また、二〇五〇年を予定している「現代化強国」の実現も従来の「基本的な現代化の実現」という目標をレベルアップさせたものだ。これらのプロセスのスピードアップは、中共中央の国情に対する正確な判断、国際情勢の全面的な考慮、そして中国の発展に対する自信を体現しているのだ。

衣・食・住問題の解決から小康社会へ、全体的に小康社会から基本的な現代化の実現、そして現代化強国の構築、「立ち上がる」から「豊かになる」、そして「強くなる」へというのは、中国の経済と社会発展にまつわる目標は順序よく段階的で、科学的な計画も含まれており、臨機応変に調整可能といった特性を持っている。中国共産党は中国人民を引っ張り、国家の富強と人民の裕福といった「中国の夢」へ向け堅実に一歩ずつ歩んでいる。

第四節　理論的なロジック
――「新たな道のり」の政治経済学分析

習近平総書記が中国共産党第十九回全国代表大会の報告で提起した「現代化国家への新たな道のり」とは、すなわち二〇二〇年から二〇五〇年にかけて、まずは社会主義現代化の基本的な実現、そして社会主義現代化強国の実現といった二段階に分かれた目標だったが、これは「二つ目の百年」の目標のアップグレード版とも言える。現代化国家の基本的な実現から、現代化強国の構築といった具合に「新たな道のり」はつまり新たな目標であり、新たなステップであり、そして新たな戦略なのだ。

マルクス主義は、「社会的存在が意識を決定し、意識が社会に反作用をもたらす」(1)といった主張だ。「現代化国家への新たな道のり」の発展目標は、習近平総書記を核心とした中共中央が中華民族の悠久な歴史、中でも特に近代以来の苦労した歴史に基づき、国内外の情勢を見通した遠大な長期計画なのだ。「二つの百年」の目標の実現は「現代化国家への新たな道のり」

(1)　マルクス、エンゲルス『マルクスエンゲルス選集』第四巻、北京、人民出版社、二〇一二年。

の過程であり、「中国の夢」を実現する過程でもある。以下の図1―1は、政治経済学の視角から分析した「現代化国家への新たな道のり」の歴史的な論理と経路だ。

いかなる理論も、すべて時代の産物であり、偉大な理論は必ず時代の声を反映させている。そして経済学の伝統と使命は国家の富強と国民の裕福を実現させることである。経済学の始祖であるアダム・スミスが一七七六年に出版した

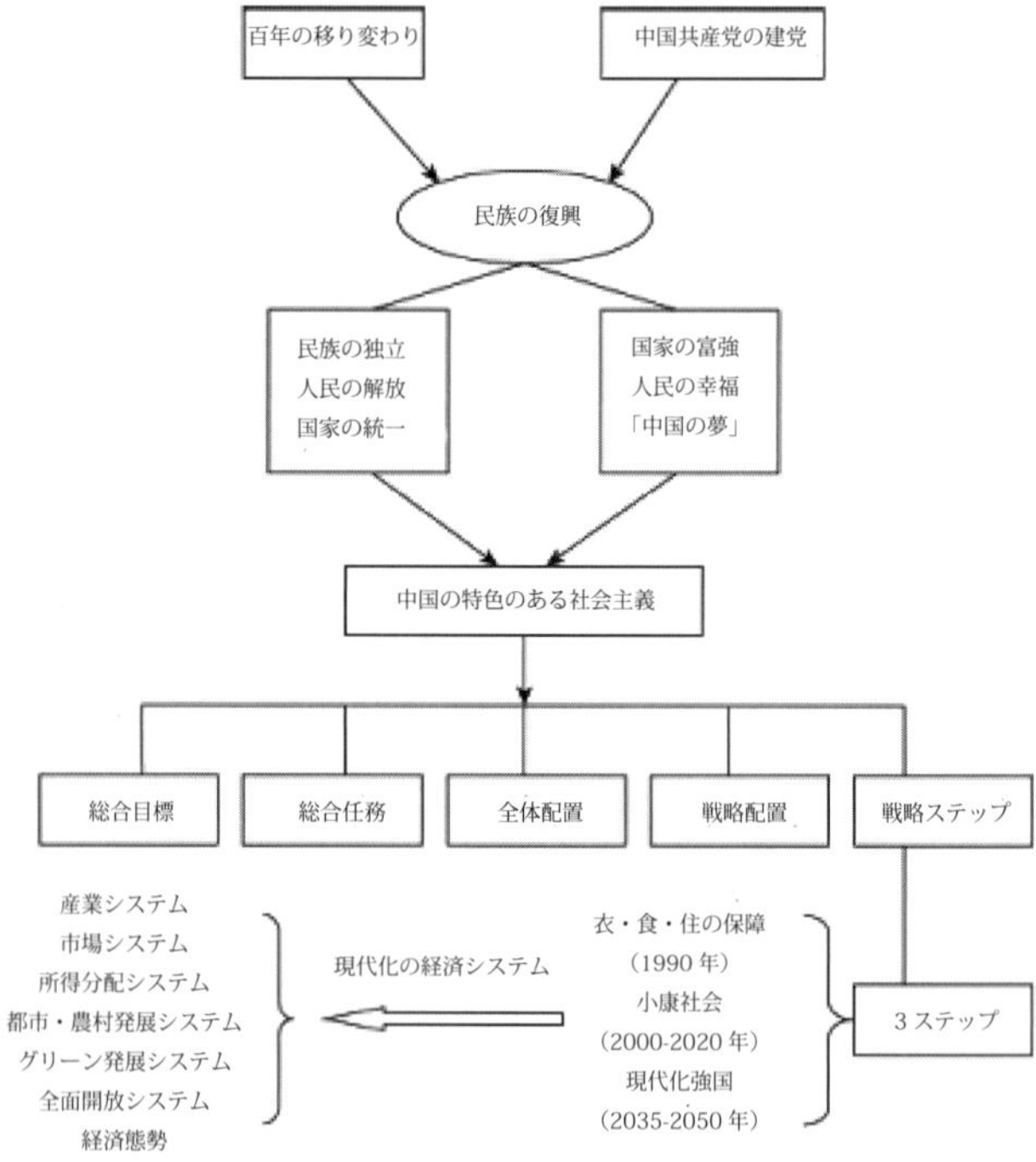

図1-1 「現代化国家への新たな道のり」の歴史的な論理と経路

『国富論』という著書がある。この著書の主な目的は如何に国民を裕福にするかという内容だった。それにより、経済学の使命は国を強くし、国民を裕福にすることであると定義された。同時代の古典経済学の名著であるデヴィッド・リカードの『経済学および課税の原理』は工業資本主義の迅速な発展を促進し、マルサスの『人口論』は当時の人口の急速な増加により生まれた生活資源の不足と貧困問題を解決した。時代の烙印と強烈な使命感に満ちているのは古典経済学の著書に限らず、傑出した数々の現代経済学の著書たちも同様に国民の富強に関する研究を続けており、これは非常に優秀な伝統であると言えるだろう。例えば、当今の世界で最も人気な経済学者であるマサチューセッツ工科大学（ＭＩＴ）経済学教授のダロン・アセモグルおよびジェームス・Ａ・ロビンソンによる『国家はなぜ衰退するのか――権力・繁栄・貧困の起源』でも同様に国の貧富といった、常に存在する問題に関しての研究が行われていた。

「現代化国家への新たな道のり」は習近平新時代の中国の特色のある社会主義経済思想の核心であり、習近平総書記の経済思想における歴史的な辛抱強さ、広い視野、そして将来性を見据えた目標が体現されている。また、中国の歴史的背景と国家の運命、特に近代以来の百年の移り変わりを知ることこそが「現代化国家への新たな道のり」の論理の出発点を理解することに直結している。外敵の侵入と国内の腐朽に立ち向かい、「中華民族の偉大な復興」は、時代が与えた歴史の使命とも言えるだろう。中国共産党は成立当初から民族の復興といった神聖な使命を背負っている。この民族復興の夢は二つのステップに分けることができる。第一ステップは民族の独立、人民の解放、国家の統一だった。毛沢東を中心とした第一代中国共産党指導部が国民を率いり、新中国を構築し、第一ステップを完成させた。第二ステップは国家の富強と国民の幸福で、これはより一層高まった目標であり、尚且つ「中国の夢」の大きな内在的構成要素でもある。鄧小平を中心とした第二代中国共産党指導部が改革開放の大業を成し遂げた。衣・食・住問題の解決とゆとりのある生活を人々にもたらし、国民の生活をより幸福なものとした。そして習近平を中心とした新一代の中国共産党指導部は、新時代の使命を背負い、二〇二〇年までに小康社会を実現し、それから現代化を基本的に実現し、最終的に社会主義現代強国を築き上げることを目標とした現代化国家への新たな道のりを切り開いたのだ。

現代化国家への新たな道のりは、習近平を中心とした中国共産党指導部の強烈な使命感、責任感、そして異なる時代の使命を実現させる緊迫感が反映されており、この目標はまず、国家の富強を目指し、国民を中心とし、発展を志向とした価値観を体現している。習近平新時代の中国の特色ある社会主義経済思想を理解するには、まずこのような価値観を理解しなければならない。また、現代化国家への新たな道のりは時代の使命と大きな目標であり、時代のニーズが大いに反映されている。習近平新時代の中国の特色ある社会主義経済思想を理解するためには、その歴史的背景と時代のニーズを理解しなければならない。何故なら、いかなる人物の経済思想であろうと、その根拠はすべて時代がもたらした歴史の産物であるからだ。そして、現代化国家への新たな道のりは、中国の方向性を定める羅針盤のようなものであり、重要な国家戦略思想でもある。習近平新時代の中国の特色のある社会主義経済思想は決して空中の楼閣ではなく、「脚踏実地」[1]であり、一挙に成し遂げることではなく、実現するためには順を追って日々の努力の積み重ねを必要とする。故に、現代化国家への新たな道のりの実現には、しっかりした制度基盤、発展保障と戦略的計画が必要であり、最も重要な制度基盤は中国の特色ある社会主義制度システムだ。

「二つの百年」の目標と「現代化国家への新たな道のり」を実現するためには、中国の特色ある社会主義を堅持し発展させることが必要だ。そして中国の特色のある社会主義事業は、抽象的でもあり、具体的でもあり、そのサポートシステムは総目標、総任務、総体的配置、戦略的配置、戦略的ステップなどを含んでいる。中国の特色のある社会主義の総目標は、中国を富強・民主・文明・調和の美しい社会主義現代化強国にすることであり、総任務は社会主義現代化の実現と中華民族の偉大な復興を成し遂げることであり、総体的配置は「五位一体」[2]であり、戦略的配置は「四つの全面（小康社会の全面的完成、改革の全面的深化、全面的な法に基づく国家統治、全面的な厳しい党内統治）」であり、戦略的ステップは「三ステップ」、すなわち衣・食・住問題の解決、小康社会の構築、社会主義現代化強国の実現だ。故に、以上の歴史的背景、

(1) しっかりと地面を踏み締める。物事をするに当たってとても堅実である。
(2) 五位一体とは、経済建設、政治建設、文化建設、社会建設、生態文明建設を指す。

歴史的使命および中国の特色ある社会主義制度システムは、現代化国家への新たな道のりを切り開く歴史的出発点と論理体系であり、習近平新時代の中国の特色ある社会主義経済思想を理解する主線でもある。

では、現代化国家への新たな道のりの目標はどのようにしたら達成できるのだろうか。その答えは現代化された経済体制の構築だ。中国共産党第十九回全国代表大会の報告や二〇一八年一月三十日に行われた中共中央政治局第三回全体学習会での習近平総書記の演説要旨によると、現代化された経済システムとは、社会経済活動の各環節、各方面、各分野の相互関係と内在的な関係から構成された有機的な全体であるとされ(1)、それは一つの目標、七つのシステムと五つの方面からなる。

一つの目標とは、現代化強国の目標を予定通りに実現することだ。

七つのシステムとは、①創造力に満ちた協同発展可能な産業システムを建設し、実体経済、科学技術革新、現代的な金融、人的資源の協同発展を実現し、実体経済の発展における科学技術革新の貢献度を高め、現代金融の実体経済をサポートする能力を絶えず強化し、人的資源が実体経済の発展を支える役割を絶えず最適化する。②統一・開放・秩序ある競争市場システムを建設し、スムーズな市場アクセス、秩序ある市場開放、十分な市場競争、市場の秩序と規範

(1) 秦爽「習近平総書記の定調――現代化された経済体制はこのように建てる」、経済日報、二〇一八年七月十日。

を実現し、企業が自主的に経営し、公正な競争を行い、消費者が自主的な消費を自由に選択し、商品と要素が自由に移動し、平等に交換する現代市場システムの形成を加速させる。③効率的で公平な収入分配システムを建設し、合理的な収入分配・社会の公平・国民全体の裕福を実現し、公共サービスの均等化を推進し、収入分配の格差を縮小する。④それぞれの強みを発揮し、協調・連動した都市と農村の地域発展システムを建設し、地域の相互作用、都市と農村の融合発展、陸海統合の最適化を実現し、各地域の強みを発揮し、地域間の補完性を強化し、地域間の協調した発展の新しい構造を形成する。⑤資源の節約と環境に考慮したグリーン成長システムを建設し、低炭素社会の発展を実現し、人と自然の共生・「緑水青山こそ金山銀山」といった理念を確立する。⑥平衡・安全かつ高効率な全面開放システムを建設し、より高いレベルの開放型経済を発展させ、開放の構造を最適化し、開放の効率性を向上させる。⑦市場の役割と政府の役割がより充分に発揮可能な経済システムを確立し、市場メカニズムの有効性・ミクロ主体の活力・マクロコントロールの有度を実現する。

五つの方面とは、①実体経済の発展に力を入れ、現代化経済システムの強固な基礎を築く。②イノベーション駆動発展戦略の実施を加速し、現代化経済システムの戦略的支持を強化する。③積極的に都市・農村地域の協調発展を推進し、現代化経済システムの空間配置を最適化する。④開放型経済の発展に力を入れ、現代化経済システムの国際競争力を高める。⑤経済体制の改革を深化させ、現代化経済システムの制度保障を充実させる。

第二章　現代化の進展度合いをはかる
――五大文明の新たな視角

第一節　現代化国家とはなんだろう

社会主義現代化強国は偉大な目標であり、美しい夢でもある。社会主義現代化強国とは文字通り、社会主義の性質を持った現代化強国のことだが、そもそも現代化国家とは具体的に何を指し、一体どのような基準で現代化国家であるかどうかをはかれば良いのか。その答えは量化された測定システムを用いて、その国家が現代化強国なのかどうかをはかる、といったものだ。

まず現代化について解説するが、参考までにウィキペディアでの「現代化理論」(modernization theory）の定義を紹介する。ウィキペディアによると、現代化理論は社会内部の現代化の過程を説明する際に用いられるもので、現代化とは「前現代」或いは「伝統」社会が「現代」社会へと進歩、転換することだ。現代化理論を最初に提唱したのは、ドイツの社会学者であるマックス・ヴェーバー（一八六四～一九二〇年）であり、後のハーバード大学社会学科のタルコット・パーソンズ（一九〇二～一九七九年）が研究・発展させた現代化パラダイムの基礎となった。また、歴史学者たちは現代化と都市化を、工業化と教育の普及の過程を紐づけていた。

学者たちの考証では、「現代化」(modernize, modernization) という言葉の誕生は、十八世紀中ごろだ。「現代化」は世界的な現象であり、十八世紀の産業革命以降、人類発展の最前線、あるいは追い上げから到達、そして最前線の保持といった行為と過程だ[1]。また、時代によって現代化の定義と目標が変わっていくため、現代化の概念自体が常に「現代化」し続けているのだ。マルクスの『資本論』第一巻(第一版)の前書きでは「工業先進国が、工業途上国に見せた姿は後者の未来の姿そのものである」[2]と書かれており、アメリカの『国際社会科学百科事典』の「現代化」の項目では、マルクスのこの言葉が現代化の意味を解説する根拠として用いられている。故に、現代化は工業が遅れている国家の工業化が進む過程なのだ[3]。また、早期の欧米諸国の現代化理論学者たちは、民主化、経済の工業化、社会の都市化、現代科学技術および義務教育の普及なども現代化に含まれると考えていた。

羅栄渠は、現代化に対してそれぞれ広義と狭義の定義を設けた[4]。広義における現代化は世界的な歴史の過程、つまりは産業革命以降に人類社会に発生した急激な変革を指し、この変革は工業化の推進力となり、世界各地の伝統的な農業社会を現代工業社会へと変え、工業主義を政

(1) 何伝啓「現代化強国設立の経路とモデルの分析」、中国科学院アカデミー、二〇一八年。
(2) マルクス『資本論』第一巻、北京、人民出版社、二〇〇四年。
(3) 方世南「蘇州の現代化の基本実現の意味合いと指標システムにまつわる思考」、東呉学術、二〇一一年(二)。
(4) 羅栄渠『現代化新論』、北京、北京大学出版社、一九九三年。

治、経済、文化、思想などの異なる領域に浸透させ、世界に大きな変化をもたらすものだった。そして、狭義における工業化は、発展途上国がより高効率な方針を採り、計画性をもった経済技術の改善と先進国への学習をすることによって、大きな社会改革をもたらし、より迅速に工業先進国に追いつき、現代世界の環境に適応するといった発展の過程のことを指す。

現代化の内在的構成要素に関して、多くの学者たちは物質文明、政治文明、社会文明が基本要素であると認めている。例えば、邢来順と周小粒は、現代化とは人類社会が伝統的な農業社会から現代工業社会へと変わる過程における政治、経済、社会、文化などの発展の勢いやその状態の総称であると考えている[1]。一つの国家の現代化の過程において、経済の現代化は前提であり、政治や社会、文化の現代化が主要な内容と具体的な現れとなる。

宋林飛が現代化の内在的構成要素について比較的全面的なまとめを行っている[2]。彼のまとめによると、現代化は、農業社会から工業社会へと移り変わる過程であり、また生活方式や価値観、あるいは心の態度の移り変わりの過程でもある。彼はまた、現代化の内在的構成要素は時代とともに変わっていくものだとしている。例えば、近代までの現代化理論では、現代化とは工業化や都市化、民主化であると考えられていたが、現在の現代化理論では、情報化、知識化、

（1）　邢来順、周小粒「ドイツ帝国時代の社会現代化に関する歴史的考察」、華中師範大学学報（人文社会科学版）、二〇〇八年（四）。

（2）　宋林飛「我が国の基本的な現代指標システムの実現と評価」、南京社会科学、二〇一二年（一）。

生態化、人文化がより重視されている。つまり現代化の目標は、経済の発展とともに、日々アップデートされているということになるのだ。そのため、現代化早期段階の一つの国家あるいは地域の目標は、主に経済の発展だが、現代化中後期以降では、人々の幸福に重点が置かれるようになっている。

ほぼすべての学者たちが、現代化には文明の多様性と時代に伴った可変性という二つの特徴があるということを公認している。以上の現代化の定義に基づき、我々が考える「現代化国家」の定義は、「現代化を基本的に終えた国家、すなわち工業化、都市化、民主化および教育の普及が進み、ほぼ全ての国民が現代的で文明的な生活を送ることのできる国家」だ。

第二節　どのように現代化国家を測定するのか

上述した通り、現代化には文明の多様性と時代に伴った可変性という二つの特徴があるが、一体どのようにして現代化をはかれば良いのだろうか。もしはかることができないのであれば、数値化された比較を行うことができず、現代化の進展度合いの違いと高低を明確にするのが不可能ということになる。

我々が国内外の数ある文献を総合的に分析した結果、現代化指標が一定の水準に達した国家は以下の四つの基本原則を満たしているものだと結論づけた。一つ目は完備性、すなわち現代化指標システムが政治、経済、社会、生態環境などの主要な方面を含め、その国（あるいは地域）の現代化プロセスを包括的かつ総合的に反映しなければならない[1]。また、それぞれの指標が直接重なるわけではなく、指標分類の次元が単一でなければならないので、すべての主要指標を合わせて現代化という「集合」を構成することになる。メトリクス間に交差があれば、ス

（1）　陳友華「現代化指標システムの構築と問題」、社会科学研究、二〇〇五年（二）。

コアリングが繰り返され、定量化効果に影響を与えてしまう。二つ目は量化性、すなわち各指標がそれぞれ代表性を持ったもので、実際の状況が反映されており、尚且つ直接数値化できる必要がある。数値化できない指標は比較を行うことができないため、現代化指標システムに入れることは不可能だ。三つ目は獲得性、すなわち全ての指標はどれも公開データ（国内外の統計年鑑を含む）から数値を得ることが可能であり、また他者も同様の方法で相応のデータを得ることができる必要がある。そうでなければ、指標同士の比較を行うことが難しく、また数値の真偽が不透明なものとなってしまう。四つ目は比較性、すなわち全ての指標が数値化されたものであると同時に、他国または他地域、或いは他の年度との比較が行える必要がある。これは、量化後の指標が時間とともに大きく変動してはいけないこと、そして相対的な安定性が必要であることを意味する。

一　海外の現代化指標システムに関して

㈠　日本・箱根のモデル

中国国外における、現代化が早かった地域として日本・箱根のモデルが挙げられる。一九六〇年の箱根会議にて、日・米・イギリスなどの三十数名の専門家たちが現代化問題に関する討論を行い、八項に及ぶ現代化の基準が発案され、これらは後に箱根モデルと学会で呼ばれることとなる[1]。この八項は、①人口が都市に集中し、社会の中心が都市であること、②非生命的資源（エネルギー）の使用率が高いこと、③社会人同士が互いに支えあい、政治・経済の事務に参与していること、④伝統的な村社会は普遍的に解体され、個人がより大きな社会流動性と広域で多様な行動範囲を持つようになること、⑤文化と知識が全体に行き届き、個人が世俗・科学の伝播に対する影響を与えること、⑥人々の交流網が広範囲で深いこと、⑦政府や商業、工業などの大規模な社会機構があり、これらの機構の中で官僚組織が増え続けていくこと、⑧民衆の団体同士が統一を強化し（すなわち国家）、これによってできた大きな団体同士が相互作用しながら日々強くなっていくこと（すなわち国際関係）といった内容だ。

箱根モデルの指標システムは、都市化、資源、社会、文化、組織など様々な内容が含まれるが、政治に関するものは比較的少ない。都市化の進み具合は経済水準の目安として見ることはできるが、都市化の進み具合が経済発展水準そのものというわけではない。何故なら、同じ都市でも都市に住む貧民の数や都市での犯罪現象が多い可能性があるからだ。ここで問題になってくるのは多くの指標が量化できないということだ。例えば個人の流動性、個人の公共事務への参与およびマス・コミュニケーション・ネットワークは、定量化も定義もできず、比較もできない。また、一部の指標は現実的でなく、具体的な内容に欠ける。例えば第八項の「民衆の団体

（1）　陳柳欽「国内外現代化指標システムの標準について」、全球科学技術経済瞭望、二〇一一年（一）。

同士が統一を強化する」は抽象的であるうえに、現代化との具体的な関係性も分かりにくい。

㈡　インガルスの現代化指標システム

最も影響力のある現代化指標システムは、インガルスの現代化指標システムだ。インガルスの現代化指標システムとは、一九八三年の北京大学社会学科でのインガルスの演説原稿を整理したものであり、元の原稿では「現代化指標システム」といった概念には直接触れられていないものの、複数の学者たちが社会学の観点に基づき、十一種類の指標を作り出した。

インガルスの現代化指標システムには、①一人当たりＧＮＰ（国民総生産）が三千米ドル以上である、②農業総生産が国民総生産の一五％以下である、③サービス業の総生産が国民総生産の四五％以上である、④非農業労働力が総労働力の七〇％以上である（または農業労働力がそう労働力の三〇％以下である）、⑤成人の識字率が八〇％以上である、⑥二十〜二十四歳の人口のうちの一〇〜一五％が大学生である、⑦医者一人当たりの患者数が一千人以下である、⑧新生児の死亡率が三‰以下である、⑨人口の自然増加率が一％以下である、⑩平均期待寿命が七十歳以上である、⑪都市の人口が総人口の五〇％以上である、といった内容が含まれる。(1)

インガルスの現代化指標システムをより理解しやすくするため、上述の十一種の指標システムを簡単に分類し、それらを四つの二級指標レベル（経済力、生活水準、教育水準、期待寿命）

(1)　陳柳欽「国内外現代化指標システムの標準について」、全球科学技術経済瞭望、二〇一一年（一）。

と三つの一級指標レベル（物質文明、精神文明、社会文明）に分ける。それにより、後述する他の指標システムとの比較も行いやすくなる。表2―1はインガルスの現代化指標システムの具体的な基準だ。

インガルスの現代化指標システムの長所は三つある。一つ目は指標が広い範囲をカバーし、社会や経済、教育などの方面を含んでいるところだ。二つ目は、指標が量化可能なことであり、これは計算や他国との比較の際に役立つ。三つ目は獲得性が強いことであり、すべての指標は国内外の統計年鑑から得ることができるものだ。そのため、インガルスの現代化指標システムが世界で最も影響力の強い現代化指標システムとなったのも、これらの長所を考えればごく当然だ。しかし、それと同時にインガルスの現代化指標システムにも少々の不足がある。まず、同指標システムには政治に関した内容が少なく、民主・法治・政治参与・環境保護といった現代化国家に対して非常に重要な要素が含まれていないということは誠に遺憾だ。また、一部の指標は比較的時代遅れだという問題もある。例えば一人当たりGNPが三千米ドル以上といった基準はあくまで、当時の物価に基づいて作られたものであり、現代には適用しない。最新版の世界銀行の所得グループ分類では、一人当たりGNI（国民総収入）が三八九五米ドル～一万二〇五六米ドルの国家が中・高所得国と定義されている。[1]そのため、一人当たりGNPが

（1）出典：世界銀行ウェブサイト。通貨単位はアトラス法に基づいて計算された米ドル。

三千米ドルといった状態では、中・高所得国の条件を満たすことができず、あくまで現代化の初期または中期段階の国家となってしまう。その他にも、一部の指標の内容の少なさといった問題も挙げられる。例えば、社会文明を反映させた指標は期待寿命しか含まれておらず、所得格差などの面が考慮されていない。

(三) 人間発展指数

実際の応用を考えると、インガルスの現代化指標システムには各指標の比重と評価基準が不明確だという

表 2-1　インガルスの現代化指標システム

1級指標	2級指標	3級指標	基準
物質文明	経済力	1人当たりの国内総生産（GDP）	＞3000米ドル
		農業総生産が国内総生産（GDP）を占める割合	＜15%
		サービス業総生産が国内総生産（GDP）を占める割合	＞45%
		非農業労働力が全体労働力を占める割合	＞70%
	生活水準	都市化水準（都市人口が総人口を占める割合）	＞50%
		新生児の死亡率	＜3%
		人口の自然増加率	＜1%
		医師1人あたりの人数	＜1000人
精神文明	教育水準	成人の識字率	＞80%
		大学入学率（在校生が20~24歳の人口を占める割合）	10%~15%
社会文明	期待寿命	1人あたりの平均期待寿命	＞70歳

補足：資料に基づいて整理したものであり、1級指標と2級指標は著者が付け加えたものである。

不足があるため、実際の社会発展状況に基づいて現代化水準を総合評価することが極めて困難だ。そのため、それの改善案として出たのが国連開発計画（ＵＮＤＰ）の人間開発指数（human development index, HDI）であり、この指数は総合評価といった方式で国連加盟国の社会発展水準を評価するものだ。この指数は「人類の発展」の考察を主要としているため、「人」を中心に展開されている。

国連の人間開発指数は経済力、教育、健康長寿といった三つの緯度から人類の発展を判定する。それに対応した具体的な指標は、①実際の一人当たりＧＤＰ、②成人の識字率・総合入学率（小中学校・高校・大学）、③平均期待寿命、といった分類だ。このシステムでは、各指標に最大値と最小値が設定されており、そこから標準値の区間が構成されている。ここで注意が必要なのが、国連の人間発展指数は実際の一人当たりＧＤＰに対して下方修正を行っていることで、すなわち所得水準の上昇に伴う一人当たりＧＤＰの増加速度の逓減を要するということだ。これは完全に人類発展の規則と合致する。国連の人間開発指数の具体的な指標の分類・加重平均（重み係数）・基準は以下のとおりだ（表２—２を参照）。つまり、最初にそれぞれの指標に点数をつけ、次に決められた加重平均（重み係数）に基づいて全ての得点を合計した総点が人間発展指数なのだ。

人間開発指数は国際的な福利水準の比較に使われる重要な標尺だ。何故なら、人間開発指数は指標が明確で、発展に集束しており、データの獲得性が強いなどの優れた点があるからだ。

しかし、人間開発指数は完璧とは言い切れない。まず、人間開発指数は狭義の人間開発指標を主要としており、政治・社会・生態・環境などの指標を一切含んでいないため、現代化国家の指標システムとしては不完全だ。また、一つの緯度における指標が基本的に一つのみであるため、一つの人間開発の全貌を反映させることができていない。更に、国別の差異、特に大きい国と小さい国での差異が見落とされており、我々が必要としている「現代化強国」をはかるのは難しい、といった点がある。

二　現代化国家をどのように測定するか

(一)「中国現代化報告」

中国国内最初の権威性が高い指標システムである「中国現代化報告」は、中国現代化戦略研究課題チームと中国科学院中国現代化研究センターの共同執筆

表 2-2　人間開発指数

緯度	指標	加重平均	基準
経済力	実際の１人当たりＧＤＰ	1	100 - 4000 米ドル
教育	成人の識字率	2/3	0 - 100%
	総合入学率（小中学校・高校・大学）	1/3	0 - 100%
健康長寿	平均期待寿命	1	20 歳 - 85 歳

出典：国連の「人間開発指数」に基づいて整理したものである。

であり、二〇〇一年に初めて発表された。[1] 二〇〇一年の報告は現代化指標評価システムで、初めて現代化を「第一次現代化」と「第二次現代化」の二段階に分けた。「第一次現代化」とは主に工業の現代化であり、インガルスの現代化指標システムを基礎とした十項の指標をリストアップし、実際の状況と各指標別の要求に基づいた対比計算から基準達成率を割りだす。そこから個々の基準達成率を計算し、更に加重平均法を用いて最終的な総合評価値を割りだす。「第二次現代化」は知識の創新、知識の伝播、生活の品質、経済の品質の四大類に分けられた十六項目の指標からなり、評価計算方法は、「第一次現代化」と同じで、まず、個別の指標に対する達成率を計算し、そこから加重平均値を割りだすものだ。しかし、数多くの国家が「第二次現代化」へ向け前進しているものの、今現在「第二次現代化」を完璧に実現した国家は一つも無いため、第二次現代化の目標値は現時点で確定することはできない。この指標システムでは、現代化に対する貢献の方向に基づき全ての指標を正・負の二種類に分けている。つまり、正の指標の場合は数値が基準値を上回った際に現代化の基準を満たしたと見なされ、逆に負の指標の場合は基準値を下回って初めて現代化の基準を満たしたと見なされるという訳だ。具体的な指標の分類・加重平均（重み係数）・基準値は表2—3で表されている。

「中国現代化報告」の長所は、二〇〇一年以降連続で出版されていることで、指標システム、

（1）参照・http:modernization.ac.cn.

表 2-3　　　　「第 1 次現代化」指標システム

分類	指標	基準値	正負
経済指標	1 人当たりの国内総生産（GDP）	＞ 6261 米ドル	正
	農業付加値が国内総生産（GDP）を占める割合	＜ 15%	負
	サービス業付加値が国内総生産（GDP）を占める割合	＞ 45%	正
	農業労働力が全体労働力を占める割合	＜ 30%	負
社会指標	都市人口の割合（都市人口が総人口を占める割合）	＞ 50%	正
	（医療サービス）千人毎の医者数	＞ 1 人	正
	新生児の生存率	＞ 50%	正
	成人の識字率	＞ 80%	正
	大学生の普及率(在校生が 20~24 歳の人口を占める割合)	＞ 15%	正
	平均期待寿命（出生時の平均期待寿命）	＞ 70 歳	正

出典：中国現代化戦略研究課題チーム『中国現代化報告 2001―現代化と評価』、北京、北京大学出版社、2001 年。

地区現代化、経済現代化、国際現代化、生態現代化、文化現代化など毎年異なるテーマに焦点が当てられているのも魅力の一つだ。そのため、「中国現代化報告」は現代化にまつわる数々の重要なテーマが含まれているシリーズと言えるだろう。しかしながら、同シリーズの現代化指標システムは、経済指標と社会指標を主要としており、政治や生態環境、精神文明に関する指標が不足しているため、「中国現代化報告」は経済の現代化指標システムといった表現がより適切であろう。また、この指標システムの、一部の基準値が主観的かつ曖昧である点が物議を醸している。例えば、成人の識字率がたったの八〇％以上で現代化国家と見なされるといった基準は、成人の識字率が世界的に高い現代では低すぎるのではないかという意見がある。また、一人当たりＧＤＰが六二六一米ドル以上に到達するといった基準は数値が固定されたものだが、世界銀行の高所得国家の基準は一九九〇年は七六二〇米ドルだったものが二〇一七年には一万二〇五六米ドルになるといった具合で毎年変動し続けている上、毎年の変動が必ずしも上昇とは限っていないため、所得水準はあくまで相対的な値であるとしか言えない。

㈡「中国の持続可能な発展戦略報告」

中国科学院中国現代化戦略研究課題チームは一九九九年より「中国の持続可能な発展戦略報告」を毎年発表し続けている。課題チームは持続可能な発展を主な焦点としているものの、彼らの指標システムには現代化指標システムと通ずるものがたくさんある。例えば「中国の持続可能な発展能力指標システム」には主に四つの「層」からなり、第一層は国家の現代化の進捗度を示す全体層であり、第二層は現代化の三つの本質（現代化の動力の表徴、現代化の品質の表徴、現代化の公平の表徴）を示す現代化の表徴の集合層だ。具体的に言えば、現代化の動力の表徴とは工業化・情報化・競争力・都市化の水準や指標を表したもので、現代化の品質の表徴とは集約化・生態化の水準・指標を表したもので、現代化の公平の表徴とは公平化・グローバル化の水準・指標を表したものだ。そして第三層は八つの水準指数からなる水準指数層であり、第四層は二十一項目の基礎要素からなる基礎要素層だ。そのため三つの表徴の集合、八つの水準指数と二十一項の基礎要素が現代化計測指標システムを構成しているのだ。指標の具体的な分類に関しては表２—４を参照してほしい。

「中国の持続可能な発展戦略報告」によって提案された指標システムは、持続可能な発展能力に焦点が置かれている。つまり、これは経済の指標であり、政治や社会、教育の領域には触れておらず、現代化をはかる指標としてはやはり不完全なものだ。また、一部の指標は量化が難しい、あるいは関連したデータを得ることが難しいといった問題を抱えている。例えば、競争力水準指数や公平化水準指数などはそもそも定義が難しく、物議を醸しやすいうえに、

表 2-4　現代化計測指標システム

第１層 全体層	第２層 現代化の表徴の集合層	第３層 水準指数層	第４層 基礎要素層
現代化の進捗度	現代化の動力の表徴	工業化水準指数層	21 項の基礎要素
		情報化水準指数層	
		競争力水準指数層	
		都市化水準指数層	
	現代化の品質の表徴	集約化水準指数層	
		生態化水準指数層	
	現代化の公平の表徴	公平化水準指数層	
		グローバル化水準指数層	

出典：陳柳欽「国内外の近代化指標体系と基準の概要」、世界科学技術経済展望、2011(1)。

関連したデータを得ることが困難なのだ。

㈢「経済—社会—生態—人」の現代化指標システム

宋林飛は経済の現代化、社会の現代化、生態の現代化、人の現代化といった四つの面から中国の現代化プロセスを評価している。(1) 彼が確立させた現代化指標システムは四つの大きな分類（経済の現代化、社会の現代化、生態の現代化、人の現代化）と三十項の指標からなる。具体的な分類と目標値は表2—5を参照してほしい。

この指標システムは内容が豊富であり、経済・社会・生態・人の四方面が含まれている。また、ほとんどの指標が量化できるうえに、データを容易に得ることができるといった利点がある。しかし、政治に関する指標が足りていないため、法治や清廉さ、政治参与などの現代化水準が分からない点や、一部の指標の基準値が主観的である故に物議を醸しやすい点、例えば、一人当たりの地域総生産が二万米ドルを超えるといった基準、(2) また多くの指標に、「大気指数良好以上の日数が全体を占める比重」や「都市の緑化面積」などといった「中国特色」が含ま

（1）宋林飛「わが国は基本的に現代化指標システムと評価を実現する」、南京社会科学、二〇一二年（一）。

（2）もし世界銀行の二〇一四年の基準で見た場合、一人当たりの国民所得が一万二千米ドルを超えると高所得国家と見なされ、これは我々が言う基本的な現代化を実現した国家同等の水準である。もし、この基準値を調整可能なものにした場合、二〇五〇年には三万七千米ドルになる見込みで、二万米ドルを超えていることとなる。参照・聶輝華「中国経済成長目標に関するいくつかの重要な問題」、財新網、二〇一七年十一月十四日。

表 2-5　　　　　　　　現代化指標システム

分類	指標		目標値
経済の現代化	1 人当たりの地域総生産		≧ 20000 米ドル
	GDP に対する R&D 経費の割合		≧ 2.5%
	100 億元 GDP 当たりの発明特許ライセンス数		100 件
	科学技術進歩総合水準指数		≧ 70%
	サービス業の付加値が GDP を占める割合		≧ 50%
	農業の機械化水準		≧ 3 万ワット / ヘクタール
	輸出入総額が GDP を占める割合		≧ 60%
	1 人あたりの所得	都市住民の 1 人当たりの可処分所得	≧ 60000 米ドル
		農村住民の 1 人当たりの純所得	≧ 25000 米ドル
	エンゲル係数	都市部エンゲル係数	≦ 30%
		農村部エンゲル係数	≦ 35%
社会の現代化	都市化水準		≧ 70%
	都市部と農村部の基本的な社会保険普及率		100%
	都市部と農村部の所得比		≦ 2：1
	万人あたりの社会組織数		12
	都市人口 1 万人当たりの公共バス数		≧ 15 台
	1 万人あたりのコミュニティサービス施設数		≧ 8
	1 人あたりの居住面積	都市・町 1 人あたりの建築面積	≧ 30㎡
		農村部 1 人あたりの建築面積	≧ 40㎡
	都市・町の登録失業率		≦ 4%
生態の現代化	大気指数良好以上の日数が全体を占める比重		≧ 95%
	基準を満たした工業廃水の排出比率		100%
	生ゴミの無害処理率		100%
	GDP 当たりのエネルギー消費量		≦ 0.5 トン標准石炭 / 万元
	「三廃」総合利用製品の生産額が GDP を占める割合		≧ 2%
	都市緑化の面積		≧ 45%
人の現代化	大学・専門学校以上の人口が総人口に占める割合		≧ 16%
	家庭の消費支出を占める住民文化教育娯楽の比重		≧ 20%
	100 世帯あたりのテレビ数	都市部	≧ 200
		農村部	≧ 150
	都市部住民家庭の携帯電話所有数		≧ 200 部 /100 世帯
	千人あたりのネットブロードバンドの登録数		400 世帯
	千人あたりの医者数		≧ 2.5 人
	平均期待寿命		≧ 78 歳

出典：宋林飛「わが国は現代化指標システムと評価を基本的に実現した」、南京社会科学、2012（1）。

れていることにより、他国への応用が難しいといったいくつかの難点も抱えている。

㈣　都市レベルの現代化指標システム

国家レベルの現代化指標システムに加えて、中国の学者も都市レベルで現代化指標システムを構築しようとしている。その中でも、張愛珠と蘇明君は国外の現代化理論システムを参照し、中国の現代化指標システムに対してアドバイスと検証を行っている。(1)

彼らは主に経済効果指標、社会構造指標、インフラ水準指標、生活と環境の質量指標、人口の素質指標といった五種類の現代化指標を使用した。そして五種類の指標にはさらに具体的な指標が含まれている。経済効果指標は一人当たりの国民総生産、工業企業の百元資金によって得られる租税収入、一人当たりの地方財政収入、一人当たりの社会商品販売額といった指標が含まれる。社会構造指標は非農業人口の比重、第三次産業で働く人員の比重、従業員一万人あたりの技術者数、第二次産業総生産が国民総生産を占める比重が含まれる。インフラ水準指標は一人当たりの水使用量、一人当たりの電気使用量、一万人当たりの公共バス（電車）数、一万人当たりの電話機数が含まれる。生活と環境の質量指標は一万人当たりの緑地面積、従業員の一人当たり所得、一万人当たりの医者数、一人当たりの貯蓄額が含まれる。人口の素質指標は一万人当たりの在校大学生数、一万人当たりの公共図書館蔵書量、人口自然増加率、従業

---

(1)　張愛珠、蘇明君「中国都市現代化指標システムおよび理論モデルの分析」、数量経済技術経済研究、一九九八（十）。

員一万人当たりの技術者数が含まれる。具体的な分類に関しては表2―6を参照してほしい。

この指標システムは、指標を次のように量化する。それぞれの指標を十等に分けて採点する。一人当たりのGDPという指標を例に挙げると、満点は十点で一等ごとに一点の差がある。外国都市の一九八〇～一九八二年の資料を参照すると、一人当たりGNPが三百米ドル以上に到達した場合は完全に現代化したと言えるので、中国の都市では同数値が二万五千元以上の場合を十点とつける。そして二万二三〇一～二万五千元を九点、といった具合だ。

この研究は、都市レベルで現代化指標システムを構築する初歩的な試みでもあり、中国国内都市の現代化プロセスを評価する上で重要な参考価値があった。しかし、この指標システムの中には、あまり合理的ではない指標もある。例えば、生活と環境の質量に含まれた「一人当たりの貯蓄額」といった項目は、欧米先進国の一人当たり貯蓄額が中国よりもはるかに低いことを考えると合理的なものとは言えない。また、このシステムは分類上でも欠点を抱えている。例えば「インフラ」と「生活と環境」の項目は多少の重複が見られる。そのほかにも、政治文明やエネルギー効率などの指標が欠如しているといった問題点も見受けられる。

(五)「江蘇の基本的な現代化指標システム」

ここまで紹介してきた現代化に関する学者たちの理論研究は、実際の先進地区において理論と実践を結合し、政府側の視角から現代化のプロセスを評価するといったものだった。そして二〇一二年初頭、江蘇省が中国国内で率先して「江蘇の基本的な現代化指標システム(試

表2-6　　　　　　都市現代化指標システム

分類	指標
経済効果	1人当たりの国民総生産
	工業企業100元資金によって得られる租税収入
	1人当たりの地方財政収入
	1人当たりの社会商品販売額
社会構造	非農業人口の比重
	第3次産業で働く人員の比重
	従業員1万人あたりの技術者数
	第2次産業総生産が国民総生産を占める比重
インフラ水準	1人当たりの水使用量
	1人当たりの電気使用量
	1万人当たりの公共バス（電車）数
	1万人当たりの電話機数
生活と環境の質量	1万人当たりの緑地面積
	従業員の1人当たり所得
	1万人当たりの医者数
	1人当たりの貯蓄額
人口の素質	1万人当たりの在校大学生数
	1万人当たりの公共図書館蔵書量
	人口自然増加率
	従業員1万人当たりの技術者数

出典：張愛珠、蘇明君「中国の都市現代化指標システムと理論モデルの分析」、量的経済学技術経済研究、1998（10）。

行)」[1]の発表を行った。このシステムは五つの大きな分類に含まれた三十項の指標と一項の総合指標からなり、主な目標は二〇二〇年に江蘇省の基本的な現代化を実現するといったものだった。指標の比較性と独自性から言えば、ここで設定された三十項の具体的な指標は主に国際通用指標や国内比較指標、江蘇省特色指標といった三つのカテゴリーに分ける。国際通用指標は一人当たりの地域総生産、消費が経済成長に与える影響、都市化水準、研究開発費がＧＤＰを占める割合、一万人当たりの特許取得数、平均期待寿命、千人当たりの国際インターネットユーザー数、ジニ係数などを含む。国内比較指標はサービス業の付加価値がＧＤＰを占める割合、住民の所得水準、基本的な社会保障の水準、人力資源の水準などを含む。江蘇省特色指標は現代農業発展水準、ハイテク産業の生産高が規模以上の工業生産高を占める割合、自主ブランド企業の付加価値がＧＤＰに占める割合、住民の住宅水準、調和のとれたコミュニティ建設の水準と村落の環境整備の基準達成率などを含む。また、全ての指標は経済の成長、住民の生活、社会の発展、民主と法治、生態環境といった五種類に分類され、各指標に相応の目標値と重み係数が設定されているため、目標値との比較を通して江蘇省の現代化レベルを評価することができる。故に現代化を達成しているかどうかを観察するのに役立つ。すべての指標の中でも、一人当たりの地区総生産額、住民の所得水準、主な労働年齢人口の平均的な教育水準の

(1) 「江蘇省が正式に基本実現現代化指標システムを発表した」、新華網、二〇一二年一月五日。

項目は重み係数が大きいため、これらの現代化における重要性が分かる。二〇一三年に、江蘇省は改訂版を出しており、それの指標の分類、目標値並びに重み係数に関しては表2—7を参照してほしい。

江蘇の基本的な現代化指標システムは経済、生活、社会、政治、生態環境の計五つの方面を含む。これらの指標は非常に全面的である上に各指標間での重複も基本的に無く、合理的な分類がなされている。都市発展の視角から言うと、江蘇省のこのやり方は自からプレッシャーをかけ、上流を目指すもので、奨励に値する。しかし、行政の視角から見ると、この指標システムの設計と実行方法に関しては再考の余地がある箇所がいくつか存在していることが分かる。例えば、都市世帯・農村世帯と住宅がセットになった割合を現代化評価システムに含めるのはおかしいし、現代化国家のトレンドに必ずしも合致するとは言い切れない。何故なら欧米の先進国では、都市が大きければ大きいほど賃貸住宅に住む傾向にあるからだ。また、一部の指標は過渡的性質を持ち、長期的な指標としてはよくない。例えば都市汚水処理目標達成率といった指標は、現段階では環境衛生の改善を促進させる効果があるが、これは本来、現代化の基本要件であるべきだ。そして、指標の評価の仕方に利害相反がある可能性がある。すべてのデータが各部署から提供されているため、データの捏造といった問題が起こりかねない。厳密な意味での評価は第三者が行い、利益の衝突を減らすべきだ。

表 2-7　　江蘇の基本的な現代化指標システム（試行）

分類	序数	指標	単位	目標値	重み係数	出典
経済成長	1	1人当たりの地域総生産	人民元	130000	4	江蘇省統計局
	2	サービス業の付加価値がＧＤＰを占める割合	%	60	3	江蘇省統計局
	3	工業全体の労働生産性	万元 / 人	45	3	江蘇省経信委員会
	4	都市化率	%	70	3	江蘇省統計局
	5	情報化の発展水準	%	90	3	江蘇省経信委員会
	6	現代農業の発展水準	%	90	4	江蘇省統計局
	7	研究開発費の支出が GDP を占める比重	%	2.8	3	江蘇省統計局、江蘇省科技庁
	8	ハイテク産業の生産高が規模以上の工業生産額に占める比重	%	45	2	江蘇省統計局 江蘇省科技庁
	9	自主ブランド企業の付加値が GDP を占める比重	%	15	2	江蘇省統計局 江蘇省工商局
	10	1万人あたりの発明特許保有量	件	12	2	江蘇省科技庁、江蘇省知的財産局

前表に続く

分類	序数	指標		単位	目標値	重み係数	出典
国民生活	11	住民所得水準	都市住民の１人当たりの可処分所得	人民元	70000	6	江蘇調査総隊、江蘇省統計局
			農村住民の１人当たりの純所得	人民元	32000		
			住民の所得が基準に達した人口の割合	%	≥50		
	12	住民の住宅水準	都市部の家族住宅のセット比率	%	95	3	江蘇省住建庁
			農村部の家族住宅のセット比率	%	85		
	13	住民の健康水準	平均期待寿命	歳	78	4	江蘇省統計局
			千人あたりの保有医師数	人	2.3		江蘇省衛生庁
			住民体質合格率	%	93		江蘇省体育局
	14	公共交通サービスの水準	都市住民の公共交通機関での移動比率	%	26	3	江蘇省交通庁
			町村公共交通機関の開通率	%	100		
社会発展	15	現代教育のレベル		%	90	5	江蘇省教育庁
	16	人的資源水準	１万人あたりの研究者数	人	100	4	江蘇省統計局 江蘇省科技庁
			１万人労働者あたりの高度技能人材数	人	600		江蘇省人社庁

前表に続く

<table>
<tr><th>分類</th><th>序数</th><th colspan="2">指標</th><th>単位</th><th>目標値</th><th>重み係数</th><th>出典</th></tr>
<tr><td rowspan="11">社会発展</td><td rowspan="5">17</td><td rowspan="5">基本的な社会保障水準</td><td>都市と農村の基本養老保険の普及率</td><td>%</td><td>98</td><td rowspan="5">5</td><td>江蘇省人社庁</td></tr>
<tr><td>都市と農村の基本医療保険の普及率</td><td>%</td><td>98</td><td>江蘇省人社庁
江蘇省衛生庁</td></tr>
<tr><td>失業保険の普及率</td><td>%</td><td>98</td><td>江蘇省人社庁</td></tr>
<tr><td>都市・町の住宅保障システムの完備率</td><td>%</td><td>99</td><td>江蘇省住建庁</td></tr>
<tr><td>千人高齢者あたりの老人ホームベッド数</td><td>台</td><td>40</td><td>江蘇省民政庁</td></tr>
<tr><td>18</td><td colspan="2">ジニ係数</td><td>—</td><td>≤0.4</td><td>2</td><td>江蘇調査総隊</td></tr>
<tr><td rowspan="2">19</td><td rowspan="2">調和のとれたコミュニティ建設の水準</td><td>都市部の調和のとれたコミュニティ建設が水準に達した比率</td><td>%</td><td>98</td><td rowspan="2">3</td><td rowspan="2">江蘇省民政庁</td></tr>
<tr><td>農村部の調和のとれたコミュニティ建設が水準に達した比率</td><td>%</td><td>95</td></tr>
<tr><td>20</td><td colspan="2">文化産業の付加価値がGDPを占める比重</td><td>%</td><td>6</td><td>2</td><td>江蘇省統計局</td></tr>
<tr><td>21</td><td colspan="2">1人当たりの公共文化・スポーツ施設面積</td><td>平方メートル</td><td>2.8</td><td>2</td><td>江蘇省文化庁
江蘇省体育局</td></tr>
</table>

前表に続く

<table>
<tr><th>分類</th><th>序数</th><th colspan="2">指標</th><th>単位</th><th>目標値</th><th>重み係数</th><th>出典</th></tr>
<tr><td rowspan="3"></td><td rowspan="3">22</td><td rowspan="3">住民の文明素質の水準</td><td>住民の科学素質が基準に達した比率</td><td>%</td><td>10</td><td rowspan="2">4</td><td rowspan="3">中共江蘇省委員会宣伝部</td></tr>
<tr><td>住民の統合読書率</td><td>%</td><td>90</td></tr>
<tr><td>登録ボランティアの人数が都市人口を占める比率</td><td>%</td><td>15</td><td></td></tr>
<tr><td rowspan="3">民主法治</td><td>23</td><td colspan="2">党風廉潔政治建設の満足度</td><td>%</td><td>80</td><td>3</td><td>中共江蘇省委員会規律検査委員会</td></tr>
<tr><td>24</td><td colspan="2">法治建設の満足度</td><td>%</td><td>90</td><td rowspan="2">3</td><td rowspan="2">中共江蘇省委員会政法委員会</td></tr>
<tr><td>25</td><td colspan="2">公衆の安全感</td><td>%</td><td>90</td></tr>
<tr><td rowspan="5">生態環境</td><td>26</td><td colspan="2">単位 GDP エネルギー消費量</td><td>トン標準石炭/万元</td><td>≤0.5</td><td>4</td><td>江蘇省統計局</td></tr>
<tr><td>27</td><td colspan="2">単位 GDP 当たりの二酸化炭素排出強度</td><td>トン/万元</td><td>≤1.15</td><td>2</td><td>江蘇省発展改革委員会</td></tr>
<tr><td rowspan="3">28</td><td rowspan="3">主要汚染物質の排出量</td><td>単位 GDP 当たりの化学酸素要求量の排出強度</td><td>キログラム/万元</td><td>≤2.0</td><td rowspan="3">4</td><td rowspan="3">江蘇省環境保護庁</td></tr>
<tr><td>単位 GDP 二酸化硫黄の排出強度</td><td>キログラム/万元</td><td>≤1. 2</td></tr>
<tr><td>単位 GD の P アンモニア窒素排出強度</td><td>キログラム/万元</td><td>≤0. 2</td></tr>
</table>

前表に続く

分類	序数	指標		単位	目標値	重み係数	出典
生態環境	29	環境質量	空気の品質が2級基準に達した日数の割合	%	80	6	江蘇省環境保護庁
			地表の水はⅢ種類の水質より良いの割合	%	70		
			生活ゴミの無害化処理率	%	95		江蘇省住建庁
			都市部の汚水処理が基準に達した比率率	%	95		
			カントリー建設の基準達成率	%	90		
			村の環境整備が基準に達した比率	%	99		
	30	緑化水準	森林カバー率	%	24	3	江蘇省林業局
			都市の緑化カバー率	%	40		江蘇省住建庁
評価指標		基本的な近代化建設の成果に対する大衆の満足度		%	70		江蘇省統計局

出典：江蘇省政府ウェブサイト

第三節　五大文明が現代化指標システムを束ねる

一　なぜ五大文明が基礎になるのか

現代化国家とは文字通り、現代化を終えた国家のことを指す。つまりは、工業化、都市化、民主化、教育の普及が進み、ほとんどの国民が現代的で文明的な生活を送ることのできる国のことだ。したがって、現代化レベルとは文明のレベルであり、現代化レベルの上昇は文明レベルの上昇ということになる。そのため、我々は物質文明、政治文明、精神文明、社会文明、生態文明といった五つの方面から国家または地区の現代化レベルを測ることが可能であると考える。その理由は以下のとおりだ。

一つ目は、文明と現代化の概念は、非常に似たものであるということだ。ウィキペディアの解説では、「文明（civilization）」という言葉はそもそも「都市に関する」といった意味合いだった。英語で文明を意味する「civilization」は、十六世紀のフランス語の単語である「civilisé」と、ラテン語の単語である「civilis」を語源としている。これに関した最高権威の文献は、ドイツの社会学者ノルベルト・エリアス（Norbert Elias, 1897-1990）の名著『文明化の過程』[1]であり、彼は中世の宮廷社会から早期の現代社会にかけての社会変化を研究した。このように、現代化の過程は文明の進化の過程であると言える。「中国共産党が中国人民を指導し偉大な勝利へと導き、五千年の文明史を持つ中国を全面的に現代化国家へと転換させ、中華文明に現代化の過程で新たな活力を生みださせる」[2]といった習近平総書記の言葉があるが、この言葉から彼も現代化の過程とは中華文明の止まることなき発展の過程であると認識していることが分かる。

二つ目に、現代化の過程と現代文明の過程は同期しているという点が挙げられる。例えば、羅栄渠は、現代化とは世界的な歴史的過程であり、人類社会において産業革命以来に起こった急激な改革を指すものだと考えている。[3]また李小京は現代文明とは産業革命以降の人類文明の歴史的過程を包括的に要約したものであると考えている。[4]何故なら工業文明は人類の物質的生活を大幅に改善させただけでなく、政治の自由を高め、人類を宗教思想の束縛から解き、より

（1） Elias N. The Civilizing Process: Sociogenetic and Psychogenetic Investigations, re-vised edition. Oxford: Blackwell, 2000.
（2） 習近平「中国共産党成立九十五周年を祝う会での演説」、人民日報、二〇一六年七月二日。
（3） 羅栄渠『現代化新論』北京、北京大学出版社、一九九三年。
（4） 李小京『現代化の意味合いと規律の解析』、嶺南学刊、二〇一七年（二）。

理性と科学を追い求めるように成長させたからだ。

三つ目に、五大文明は現代化の主な内在的構成要素をまとめたものであるという点がある。これは正しく何伝啓の述べた通り、現代化は世界的現象であり、文明の進歩でもあるのだ[1]。ここにおける前者は表象であり、後者が本質である。文明の進歩としての現代化は伝統文明から現代文明へのパラダイムシフトであり、人間の全面的な発展と自然環境の合理的保護でもある。現代化は政治、経済、社会、文化、生態、人の発展といった様々な領域で発生しているため、物質文明、政治文明、社会文明、生態文明こそが、現代化の全体像を要約したものだ。

四つ目に、五大文明はそもそも現代化強国の核心部分の現われであるという理由が挙げられる。習近平総書記が中国共産党十九大報告で現代化国家への新たな道のりに関する言論は、二〇三五年から二十一世紀半ばにかけて、現代化の基本的な実現を前提とし、中国を富強・民主・文明・調和の美しい社会主義現代化強国へと変えていく、といったものだが、現代化強国の核心的特徴について、習近平総書記は「物質文明、政治文明、精神文明、社会文明、生態文明が全面的に向上し、国家ガバナンスシステムとガバナンス能力の現代化を実現し、トップレベルの総合的な国力と国際影響力を持った国にする」と述べた[2]。そのため、五大文明を用いて

（1）何伝啓『現代化強国建設の経路と模式の分析』、中国科学院院刊、二〇一八年（三）。
（2）習近平『小康社会（ややゆとりのある社会）の全面的完成の決戦に勝利し、新時代の中国の特色ある社会主義の偉大な勝利をかち取ろう——中国共産党第十九回全国代表大会での報告』、北京、人民出版社、二〇一七年。

現代化国家をはかることとは、習近平新時代の中国の特色のある社会主義思想とも合致することが分かる。ちなみに、我々の統計では、この言葉は習近平総書記が初めて権威ある文献において五大文明について取りまとめたもので、これ以前の中国共産党および中国政府の文献では、主に物質文明と精神文明のみが強調されており、後に政治文明と社会文明が加わったということになる。また、中国共産党十八大報告において初めて「五位一体」(経済の建設・政治の建設・文化の建設・社会の建設・生態文明の建設)が提起されている。また、五大文明を主な内容とした、社会主義現代化強国の建設は、中国共産党の国家を指導する指針となっており、中国共産党の規約にも記されている。

五つ目に、五大文明を一級レベルの指標とすることは、現代化指標システムの四つの原則に合致するといった点がある。上述した通り、有効的な現代化指標システムは完備性、量化性、獲得性、比較性といった四つの原則を満たしている必要があるが、物質文明、政治文明、精神文明、社会文明、生態文明を一級レベルの指標とした現代化指標システムは、この四つの原則が完全に合致するのだ。

二　五大文明に基づいた現代化指標システム

現代化国家への新たな道のりにまつわる習近平総書記の論述に基づいて、我々は物質文明、政治文明、精神文明、社会文明、生態文明を一級レベルの指標とした現代化指標システムを作り上げた。この指標システムでは、五つの一級レベル指標の占める比重が均等なだけでなく、それぞれが異なる重要性を表しているのが特徴だ。この五つの一級レベル指標は相応の二級レベル指標に分けられ、そこから更に具体的な三級レベル指標へと分けられる。この三級レベル指標への評価と点数から一つの国家または地域の現代化プロセスを判断することが可能になる。

既存の現代化指標システムと比較すると、本書の五大文明に基づいた現代化指標システムは上述の完備性、量化性、獲得性、比較性といった四つの基本原則を完全に満たしており、非常に優勢なものであることが分かる。まず、五大文明に基づいた現代化指標システムの分類はより全面的であるうえに、分類の基準は単一次元だ。物質文明、政治文明、精神文明、社会文明、生態文明は人類の文明と現代化の全体像を構成しており、この指標システムこそが正に適切なものであると言えるのだ。また、既存の現代化指標システムには、政治文明に関する内容の欠如が多く見受けられる。この問題は、比較的知名度の高いインガルスの現代化指標システムや、中国国内のほぼ全ての現代化指標システムにも共通して言えることだ。政治文明がないと、物質文明だけでは、人間の自由な発展を反映することができないため、現代化しているとは言い切れない。極端な例えをすると、「奴隷文明」を一つの文明形態と見ることはできるが、奴隷社会を現代社会と見ることはできない、といった具合だ。そして、五大文明に基づいた指標システムは、社会文明と精神文明を量化する考慮がなされている。それによって、社会の進歩をより深く反映させることができるのだ。既存の現代化指標システムは、一般的に物質文明に関わる内容を多く含んでいるが、社会文明と精神文明は全面的には反映されていない。例えば、ほとんどの指標システムにおいて人々のマナー、文化の実力、社会秩序、宗教論理活動などが欠如している。更に、この五大文明に基づいた指標システムは、全ての数値を公開データから得ることが可能なため、国際的であるうえに国内同士でも比較しやすいといった利点がある。我々の考える指標システムは五つの一級レベル指標が十八項の二級レベル指標を含み、これらの二級レベル指標がさらにいくつかの三級レベル指標を含むといったものだが、すべての三級レベル指標のデータは、国内外の統計データから取得することが可能となっている。また、そのうちの多くは、世界開発指標(ＷＤＩ)や世界銀行のデータベース、あるいは治理品質総合データベース（QoG Database）といった三つの主要なデータベースから得ることが可能であり（詳しくは表2—8を参照）、更に付け加えると、これらのデータベース内のデータは、一般的に数十年前から現在に至るまでのものが揃っており、早いものでは一九五〇年前後から、遅いものでも二〇〇〇年からのデータを閲覧することができるという優れものなのだ。

㈠　物質文明

物質文明は人類社会における生存と発展の物質的基礎のことだ。習近平総書記は「全面的に豊かな社会を形成するために、社会主義現代化と中華民族の偉大な復興を実現するが、最も大切な任務は一歩進んだ開放と社会生産力の発展だ」[1]と明確に述べている。物質文明は国のハードパワーの一部であるため、物質文明は単純なGDPや一人当たりGDPのみではなく、科学技術や軍事、生活水準など多方面の共同発展がすべて含まれる。物質文明が現代化システムにおける礎石であることを考慮し、我々は物質文明を現代化指標システムの中で重み係数の一番大きい一級レベル指標として定め、その重みは全体評価の三五％を占める。この一級レベル指標の下には経済の実力、国際的開放レベル、科学技術の実力、生活水準、軍事力といった五つの二級指標が含まれる。より簡単に処理しやすくするため、二級レベル指標はすべて各七％と、均等な比重になっている。

1. 経済の実力。経済の実力は、数量（GDP）と質（一人当たりGDP）といった二つの緯度から測っている。一人当たりGDPは物質文明の直接的な現われであり、その地域の経済力と資源の利用効率を知ることが可能だ。一般的には、一人当たりGDPが高ければ高いほど物質文明もより進歩していると言える。もちろん、一国の国内総生産（GDP）も同様に重要であり、これは一国の国際事務における発言権、価格決定権に関わるものであり、さらに広い国内市場を意味する。我々は経済力の「数量」だけでなく、経済力の「質」にも注目している

(1) 習近平「切実に党の思想を十八期三中全会の精神に統一させる」、『習近平が国政運営を語る』第一巻、北京、外文出版社、二〇一四年。

が、これは主に産業構造の変化によって現されたものだ。そのため、国の第二次産業・第三次産業の付加価値の比率に合わせて計算している。実際の発展途上国の発展史を観察すると、経済発展に伴い、国民の所得が増加するとともに第一次産業の比重が徐々に減少し、代わりに第二次産業の比重が徐々に増加し、経済の更なる発展によって第三次産業の比重が上昇を始めるといった現象が普遍的であり、第二次産業・第三次産業の比重が半分以上を占めるといったケースも見られる。[1] 一般的に、第二次産業（特に製造業）の技術進歩度は第一次産業・第三次産業より高いため、第二次産業は一国の現代化の実現、特に追い越し段階において非常に重要な役割を果たす。そのほかにも、第三次産業の付加価値の上昇は、産業構造の調整・改善などを反映させるため、経済の発展が一定段階に達した際の客観的なパターンであるとも言える。

2. 国際的開放レベル。国際的開放レベルは、一国の国際貿易上の重要度を判断するに当たり、重要な条件となってくる。習近平総書記も「改革開放こそが、経済社会の発展を動かす強い原動力である」と考えており、「時機を逃さず改革を深化させ、開放を拡大し、現代化建設のために重要な制度的保障を提供しなければならない」と強調した。[2] 国際的開放は、主に貿易開放レベル（一国においてＧＤＰに対しての輸出輸入額の比率）、資本勘定の開放指数、ＦＤ

（1） ホリス・チェリーなど『工業化と経済成長の比較研究』、上海、上海三聯書店・上海人民出版社、一九八九年。
（2） 「習近平が上海代表団の審議に参加する時に、思想の新解放が経済社会の新発展を促進させ、新突破が各事業の新進歩を促進させると強調した」、解放軍報、二〇〇八年三月二十六日。

IがGDPを占める比重といった三つの方面に現される。①貿易の開放は一国における国際開放の基礎であるため、貿易開放レベルは一国の貿易力、制品競争力の強弱を反映するだけでなく、国際的開放レベルも反映する。②資本勘定の開放指数は一国における資本の開放レベルを判断するのに用いる。ビジネスロジスティックス（生産から消費に至る物の流通）の開放レベルをはかる貿易開放レベルとは違い、資本勘定の開放指数は資本の流動といった視角から一国の開放レベルをはかるものだ。当座預金と比べ、各国の資本勘定における管理は一般的に徐々に厳しくなる傾向にある。何故なら、資本の流動性は貨物の流動性よりも大きく、国際資本には利食いの動機がたくさんあるからだ。少しでも抜け穴があると、資本の大幅な国外流出による国内金融市場への大影響といった事態を引き起こしかねない。③FDIとは対外直接投資のことであり、外資企業の投資は国内に流入する資本投資を増やすことで、現地の技術発展と管理レベルの上昇、就職の増加を促進させる。[1]そのため、対外直接投資の開放レベルは一国の開放レベルを反映させる重要な判断材料となるのだ。

3. 科学技術の実力。科学技術は第一生産力だ。習近平総書記は、「歴史的経験が示すように、テクノロジー革命のチャンスをつかんで現代化した国家は、どれも科学の基礎が厚い国家

（1） Hu A G Z, Jefferson G H, FDI Impact and Spillover: Evidence from China · s Electroninc and Textile Industries, World Economy, 2002（25）

であり、テクノロジー革命のチャンスをつかみ、世界強国となった国家は、どれも重要な科学技術領域において、世界トップレベルの国家である」と指摘した。(1) 科学技術の実力は主に研究経費がＧＤＰを占める比重、ハイテク製品の輸出が製品の総輸出を占める比重、一人当たりの特許申請数にて現される。①研究開発費の支出比重。科学技術の発展は研究開発費の投入に大きく依存している。研究開発費の投入は必ずしも成果を産みだすとは限らないが、それでも研究開発費がＧＤＰを占める比重は、一国の科学研究活動における強さを反映しており、科学技術の実力の重要な現われでもある。特に、一国の先端技術分野での突破にとってとりわけ重要だ。中国の研究開発費の支出がＧＤＰを占める比重は、ＯＥＣＤ（経済協力開発機構）国家の平均的な水準にはまだ達していないものの、年々上昇の傾向にある。②ハイテク製品の輸出が製品の総輸出を占める比重は、一国の輸出品の品質の高さを反映させており、供給面から一国のハイテク製品の製造能力を現すだけでなく、需要面からも他国からその国へのハイテク製品に対する認可の度合いなどを反映させている。中国では、ハイテク製品の輸出が製品の総輸出を占める比重は常に上昇の傾向にあり、それは中国の輸出製品の品質の向上と経済発展が新たなステップに入ったことを意味する。③一人当たりの特許申請数は個人のイノベーション能力

（1）習近平「世界科学技術強国を建設するための奮闘——全国科学技術創新大会・両院院士大会・中国科学協会第九回全国代表大会でのスピーチ」、人民日報、二〇一六年六月一日。

の現れであり、一人当たりの特許申請数が多くなるにつれて、科学技術におけるイノベーション能力も強くなると判断することができる。

4．生活水準。現代化の目的は、最終的にはやはり国民の生活に利益をもたらし、民衆に現代化の果実を享受させることであり、これが初期の関連指標システムが「人」に多く焦点を当てる要因でもある。物質文明が発達した国家または地区は、まず生活水準が豊かな国や地域だ。生活水準は一人当たり所得、都市化率、貧困率、新生児の死亡率、一人当たりの医療衛生に関する支出などから判断することができる。①一人当たり所得は経済発展が人々にもたらす消費能力の向上と密接な関係があり、生活水準の向上における基礎でもあるため、人々の生活水準の変化を現すことができる。②都市化率は、都市人口が総人口を占める比重を表し、一つの国家または地域の経済社会の先進レベルが現される。現代化を実現した国家の多くは、都心部に人口が集中する傾向にある。③貧困率とは貧困人口が総人口を占める割合のことで、国家または地域によって決められた貧困ラインを基準に、貧困ライン以下の所得の人々が貧困人口と見なされる。貧困率が高ければ高いほど、その地区における人々の生活水準は低く、経済発展も相対的に遅れているということになる。④新生児の死亡率は一歳以下の新生児の死亡率であり、この指標は一国の国民の健康レベルと医療衛生の発達レベルをはかるのに有効的だ。新生児の死亡率が高ければ高いほど、人々の健康レベルや医療条件が望ましくない状況であることが分かる。⑤一人当たりの医療衛生に関する支出は、人々がどれだけ健康を重視しているかを反映させている。所得水準の上昇と共に、人々の健康に対する意識はどんどん高まっていくといった傾向がある。

5. 軍事の実力。軍事の実力は国家と社会の安定における基礎であり、一国の「ハードパワー」の核心的要素でもある。経済水準のみが高く、軍事の実力が弱い国家は本当の「現代化強国」であるとは言い切れない。そのため、我々はその他の指標システムではあまり見られない軍事の実力といった項目を指標システムに入れた。習近平総書記も「中国の国際地位に相応し、そして中国の安全と利益の発展が保障された強固な国防と強大な軍隊を築きあげることが、中国の社会主義現代化建設における戦略任務である。我々は経済と国防を両立させながら、全面的に軍隊の革命化・現代化・正規化に力を入れる必要がある」[1]と方針を固めている。軍事の実力は主に、軍事費の支出がＧＤＰを占める比重と全世界における武器の輸出割合といった二つの方面に現される。

㈡　政治文明

政治文明とは社会政治生活の進歩状況と政治発展により得た成果を指し、主に政治観念の文明と政治制度の文明といった二つの側面から構成される。前者は民主主義、法治、平等に対するニーズが高まるなどといった政治概念の変化を反映しており、後者は主に行政能力と政権担

（1）　習近平「中国共産党成立九十五周年を祝う会での演説」、人民日報、二〇一六年七月二日。

当能力が反映されている。[1] 政治文明は重み係数が二番目に大きい一級レベル指標であり、その重みは現代化指標システム全体の二〇％を占める。またこの指標は政治参加、法治水準、政府の清廉さ、ガバナンス能力といった四つの 同一重み係数の二級レベル指標に分類される。その中で、政治参与は主に政治観念の文明を反映させており、残りの三つの二級指標は政治制度の文明を反映させている。

1．政治参加。政治参加とは、市民が自発的に様々な合法的な方法で政治生活に参加することを意味し、それはその国の民主主義のレベルを反映している。民主主義は現代化国家の核心的な内容であり、社会主義国家における国民が中心であることとの重要な現われでもある。習近平総書記も「中国共産党は、党内の民主が党の生命であり、民主がなければ社会主義もなく、社会主義現代化も成り立たないと明確に主張している」[2] と強調している。したがって、現代化と政治文明の深化につれて、市民は現代化の過程で最適な政治参加の形を模索しようと絶えず試みており、市民の政治参加度が高まるといった傾向がある。政治参加は政治の権利（political rights）、公民権（civil rights）、市民の社会参加率（civil society participation）、女性の参政率といった四つの三級レベル指標に反映される。①政治の権利とは、国民が法に基づいて国家の

（1）　方世南「蘇州の現代化の基本実現の意味合いと指標システムにまつわる思考」、東呉学術、二〇一一年。
（2）　習近平「改革開放三十年　党の建設の振り返りと思考」、学習時報、二〇〇八年九月八日。

政治生活に参加する権利のことを指す。その中でも、民主の選挙権は国民にとって最も重要で、なおかつ最も直接的で、広域的な政治権利であり、直接的または間接的に人々の意志を反映させることができる。②公民権とは、一国の公民がその国の法律と政府に保障されている公民の基本権利で、憲法、法律の規定に基づいて、公民が公共社会生活に参加する権利を享有し、平等権と政治の自由権を含む。③市民の社会参加率。社会参加とは、NGO（非政府組織）や市民団体など、社会におけるさまざまな組織・団体への参加を意味する。王新松は、社会参加が政治参加のように政治に直接的な影響を与えていないにもかかわらず、社会参加は実際には潜在的な政治参加であると指摘している。[1] したがって、市民の社会参加の度合いは政治文明の発展にも影響を与える。習近平総書記は「我々は国家のすべての権力が人民に属し、人民の主体的地位を堅持し、人民が人民代表大会を通じて国家権力を行使することを支持・保証しなければならない。人民民主を拡大し、民主制度を健全にし、民主的形態を豊かにし、民主的ルートを広げ、各レベル、各分野から公民の秩序ある政治参加を拡大し、より広範で、より十分で、より健全な人民民主を発展させなければならない」[2] と指摘した。④女性の政治参加と管理参加は、女性の地位と社会文明の進歩をはかる尺度であり、男女平等を実現し、女性の政治的権利

（1）王新松「市民参加、政治参加及び社会参加――概念の弁別と理論的解釈」、浙江学刊、二〇一五（一）。
（2）習近平「全国人民代表大会創立六十周年祝賀大会での演説」、人民網、二〇一四年九月六日。

を保障する重要な内容であり、女性の生存と発展状況を体現する重要な指標でもある。同時に、男性とは異なる女性の特性も、女性と男性の性格の特徴を相互に補充し、政治の発展を調和・完備させる。(1)

2．法治の水準。法治の水準は国家の法律に基づき国を治めるレベルのことを表す。習近平総書記は「法治の全面的推進は、中国共産党十八大と十八期三中全会の精神を貫徹・実行する重要な内容であり、各目標と任務を順調に達成し、小康社会を全面的に建設し、社会主義現代化を加速させる重要な保証であり、我々が発展の中で直面する一連の重大な問題を解決し、社会の活力を解放・増強し、社会の公平正義を促進し、社会の調和と安定を維持し、国の長期的な安定を確保する根本的な要求でもある」と指摘した。(2)法治の水準と政治文明の関係は、主に以下の二つの方面に現される。一つ目は、法治は政治文明の基本的な内容であり、政治文明の進歩の必然的な産物であり、同時に支配階級の意志と公共の権威を体現し、政治文明の現代的な運営理念を直接反映している。二つ目は、法治が政治文明のトレードマークになるという点である。一国の法治状況について観察すると、直感的にその国の政治文明のレベルを知ることができる。データで見る場合、法治の水準は、絶対法治の品質（absolute legal institutional

（1）陳静文「時代の発展に応じて女性の参政権を絶えず推進する」、領導科学雑誌、二〇〇八（五）。
（2）中共中央が主催した党外人士座談会での習近平のスピーチ」、人民網、二〇一四年十月二十四日。

quality）と世界法治品質ランキング（legal world institutional quality ranking）といった二つの三級レベル指標で判断することができる。①絶対法治の品質は法治の質、あるいは法治の優劣を指し、法律や法規、政策の質も含まれる。法治レベルがある程度のレベルに達して初めて、法律・法規または法治措置は理想的な効果を達成することができる。②世界法治品質ランキングは、他国との法治の質を比較した結果であり、グローバルな視角から一国の法治水準の発展状況を知ることができる。立法の質が法治の質の決め手となるため、質の低い立法はマイナスの作用を起こし、法治の質の向上を妨げる。

3. 政府の清廉さ。政府の清廉さとは、政府が政治権利などを執行する過程において、公共の利益を最優先とし、権力によって公共の利益を侵害したり、独占したりしないといった意味合いを持つ。清廉な政府の主体とは、政治家や政府関係者だ。狭義における政府とは、あくまで立法機関、行政機関、司法機関に過ぎないが、広義における政府とは、政府権力に関連したすべての権力を指す。清廉な政府の必要条件は、政府権力を乱用しないことであり、政府は必ず規定の権力範囲内で公共権力を運用する必要があり、公共利益の保護を目的とし、政府権力を用いて個人あるいは団体の利益を奪い取るような行為は許されない。清廉の対義語は腐敗であり、腐敗のレベルによって清廉さを判断することも可能である。国内外における腐敗度を測る方法は様々だが、主に主観法と客観法の二種類が一般的だ。主観法は、アンケート調査や腐敗した主体への評価などから得た最終スコアを標準化し、腐敗指数を算出するといったものだ。

客観法は、様々な腐敗的な要素をいくつかの細かい指標に分け、各指標の重み係数と数値の基準などを決め、腐敗指数を算出するといったものだ。現段階で、国別の腐敗指数で最も有名なのは腐敗認識指数[1]（Corruption Perceptions Index, CPI）であり、そのほかにもベイズ腐敗指数（Bayesian corruption in-dicator）などが挙げられる。

4. ガバナンス能力。ガバナンス能力とは、変わりゆく歴史・社会・自然の条件下で国家と社会の事務を処理する際の能力を指し、政府のガバナンスの水準と質が反映されている。習近平総書記は幾度にわたり、「国家ガバナンスシステムとガバナンス能力の現代化は、改革の全面的な深化の総目標である」と強調している。[2] 政府のガバナンス能力に対する判断を行う際は、以下のいくつかの方面に注意しなくてはならない。まず、政府はガバナンス能力を体現する主体であるということだ。それに対して民間社会はガバナンス能力と相関した客体だ。主体の作為あるいは不作為によってガバナンス能力の高低を決め、あとは実証でガバナンス能力の真実を究明する。ガバナンス能力の指標は政治の安定性(political stability)と公共管理の質(quality of public administration）といった二つの三級レベル指標によって確定される。①政治の安定

（1）トランスペアレンシー・インターナショナル（TI）が一九九五年以来毎年公開しているもので、世界各地の公務員と政治家が、どの程度汚職しているいると認識できるか、その度合を国際比較し、国家別に順位付けしたものである。
（2）習近平「切実に党の思想を十八期三中全会の精神に統一させる」、『習近平が国政運営を語る』第一巻、北京、外文出版社、二〇一四年。

性とは、一国の政治体制の運行における秩序性と連続性を指す。政治の安定性は政権体制・政策・政治生活の安定などといった形で表現される。また、政治の安定と政治文明は互いに促進させる作用がある。政治文明は政治の安定における必要条件であるため、安定した政治の形成を促すことができる。そして、政治文明発展の前提は安定した政治環境があって初めて成り立つ。そのため、互いに促進させる効果があると言えるのだ。②公共管理と政治文明の間には深い関係がある。

まず、政治文明はマクロの視角から公共利益の最大化を強調し、それに対して公共管理はミクロの視角から政治の文明に関する政策の執行と実現を試行錯誤しているという理由がある。次に、歴史を考察すると、政治文明が一定段階まで進歩した際に、民主的で科学的な公共管理制度が生み出されるといった傾向があり、政治文明の発展は公共管理の基礎であることが分かる。そして、公共管理の理念は政治文明発展の成果によって左右されるという理由がある。何故なら公共管理は政治によって決められた指導の下で行われるため、政治の枠からはみ出ることは許されないからだ。最後の理由は、公共管理が政治の文明を実現する手段であるというものだ。いかなる政治文明発展の成果も、実際の公共管理の実行によって初めて運用されるため、公共管理の質も政治文明の過程に大きな影響を与える。(1)

（1） 施雪華「政府総合治理能力論」、浙江社会科学、一九九五（五）。

㈢　精神文明

物質文明が発展する傍らで、精神文明も決して欠けてはならないものだ。習近平総書記は、物質文明と精神文明の関係を、「両手で固く掴み続ける必要がある」と全面的で平等的な観点で強調している。「精神文明を改革開放と現代化の全過程において建設し、社会生活の各方面に浸透させる必要がある」とも指摘した。(1)現代化理論や発展途上国の実際の経験に基づき、人々は普遍的に以下の規則ある現象を認識している。一つ目は、精神文明は物質文明を基礎とする同時に、物質文明に影響を与え、物質文明の繁栄のために知恵と思想の保証を提供し、両者は互いに依存し、共同発展する関係にあるという認識だ。二つ目は、物質文明の発展が一定レベルに達したときに、精神文明の確立は国家の現代化の過程において緊迫した任務となり、精神文明が遅れると、社会と経済の発展も停滞することとなってしまう、といった認識だ。三つ目は、精神文明の建設が社会発展の様々な方面に影響を与え、他の文明に精神的な牽引を提供するという認識だ。精神文明指標の全体を占める重み係数は一五％で、教育水準と文化の実力といった二つの二級レベル指標により構成される。

1．教育水準。教育水準の向上は精神文明の発展において欠かせない部分だ。社会の中で効

(1)　習近平「人民に信仰を、民族に希望を、国家に力を」、『習近平が国政運営を語る』第二巻、北京、外文出版社、二〇一七年。

果的で実行可能な教育メカニズムを構築し、さまざまな教育プラットフォームを十分に利用してこそ、市民の素質を全面的に向上させ、正しい人生観と価値観の形成を助けることが可能になる。習近平総書記も中共十九大報告の中で、「教育強国の建設は中華民族の偉大な復興のための基礎工事である。教育事業を優先順位に置き、教育改革を深化させ、教育の現代化を加速させ、国民が満足する教育を作り上げる必要がある」[1]と大所高所から教育の重要性を指摘した。教育水準は初等教育・高等教育の普及率（女性を含む）と平均教育年限の二つの指標からなる。①初等教育・高等教育の普及率（女性を含む）は、文化教育の見地から精神文明発展のレベルを反映するものだ。初等教育と高等教育の普及率が高ければ高いほど、全国範囲内で教育を受けた人数も多いということになり、国民の文化的な素質もより高いものであると言え、これは国家の精神文明建設に大いに役立つ。②平均教育年限は、一人当たりの教育年限とも呼ばれ、ある人口集団が学歴教育（成人教育を含め、各種の非学歴教育を含まない教育）をどれだけ受けたかを示す指標であり、その国の教育水準を反映するのに使われる。一般的には教育年限が長ければ長いほどその地区の教育は発達していると言える。

2. 文化の実力。文化の実力は国家が文化の特性に基づいて発展させた競争力と影響力を指

（1） 習近平『小康社会（ややゆとりのある社会）の全面的完成の決戦に勝利し、新時代の中国の特色ある社会主義の偉大な勝利をかち取ろう —— 中国共産党第十九回全国代表大会での報告』、北京、人民出版社、二〇一七年。

し、国の総合実力における「ソフトパワー」の部分となる。習近平総書記は「国家の文化のソフトパワーを向上させることは〝二つの百年〟の奮闘目標、中華民族の偉大な復興、そして〝中国の夢〟の実現に役立つ。そのため、文化のソフトパワーは現代化プロセスをはかる重要な指標となるだろう」(1)と指摘した。文化のソフトパワーは主に科学技術ジャーナル数、商標出願数、世界映画・テレビ文化輸出比率の三つの方面で現れている。①科学技術ジャーナル数は科学技術の交流とメディアの媒介によるもので、主に一国の学術発展のレベルをはかるのに用いられる。科学技術ジャーナル数の変化はその国の科学技術の水準と文化実力の軌跡が現れる。②商標は会社の無形資産の一部だ。商標登録の数が反映するのは一国のイノベーションブランドの数であり、ブランドの文化的な内包が増えれば、消費者のブランドに対する認知度が上がり、文化の更なる発展に役立つ。③世界映画・テレビ文化輸出比率は文化の国際的な影響力を反映させるもので、国家実力の対外的な伝達ともいえる。これは、グローバル化した今の時代、一国の影響力を築くにあたり欠かせないものだ。

㈣　社会文明

社会文明には広義と狭義の区別があり、広義における社会文明は、人類の開化レベルと社会

(1)　習近平「国家の文化ソフトパワーを向上させる」、『習近平が国政運営を語る』第一巻、北京、外文出版社、二〇一四年。

の進歩レベルのことであり、それは人々が世界を変えようと積極的に努力した集大成なのだ。それに対し狭義における社会文明は、物質文明、政治文明、精神文明、生態文明が並列した社会における進歩の成果のことだ。我々は社会文明が反映しているのは人類が社会動物としての発展に対する進歩する訴えだと捉えている。何故なら我々人類はただ衣・食・住の要求を満たすことだけに止まらず、社会の事務に参与し、社会的地位を追求するからだ。これこそが本来の「人類の全面的な発展」が持つべき意義だ。そして、社会文明への追求も、物質文明のニーズに基づいた自然なアップグレードだ。習近平総書記は中国共産党十八期一中全会の報告で、「我が党は、全面的な小康社会の建設、改革開放の進行、社会主義現代化の建設を指導する根本的な目的は、社会の生産力を高めること、国民の物質・文化・生活水準を上げ続けること、そして人の全面的な発展を促すことである」[1]と指摘したことからも分かるように、物質文明はあくまで手段であり、人類の全面発展こそが最終目的なのだ。社会文明指標の全体を占める重み係数は一五％で、社会秩序、期待寿命、所得格差といった三つの二級レベル指標に分けられる。

1. 社会秩序。社会秩序とは、社会が持続的に発展する平衡な状態にあることを指す。社会秩序の文明は他の文明が快速に発展できる保証でもある。社会秩序は主に組織犯罪(organized crime)、紛争の激しさ(conflict intensity)、民族の分化(ethnic fractionalization)、宗教の分

(1) 習近平「徹底して党の十八大精神は六つの仕事を突出的に行う必要がある」、人民網、二〇一三年一月四日。

化（religion fractionalization）といった四つの三級レベル指標からなる。①組織犯罪とは、暴力や威嚇などの手段を用いて違法・犯罪行為を行うことだ。組織犯罪は社会の平和に悪影響を及ぼし、社会文明の発展を妨げる。近年では、テロ対策に関する国際協力が日々強化されているが、その理由はもちろん国際組織犯罪が日々激化しているからだ。②紛争とは、異なる利益団体同士で、各団体の社会的利益の差などによって生ずる激烈な対抗のことで、紛争の激しさは紛争が社会において発生する密度をはかることができる。社会紛争は社会関係の緊迫と協調の無さの表れであり、社会紛争の発生は社会安全の保障と社会安定の維持に悪影響を及ぼす。③民族の分化は、主に多数の民族の居住地がある地域において人口数を問わず、一つの国家から分裂し、単一民族の国家を作らされた国家のことを指す。民族の分化は、民族分化運動が大衆の生活を脅かし、民族自身の進歩に支障をきたすなど、社会の発展に悪影響を及ぼす。民族分化が激しければ激しいほど、社会文明の発展も遅くなると言える。④宗教の分化は、元々宗教がある上で更に新興宗教団体が現われるといった現象を指している。これらの新興宗教は時代発展の産物だが、一部の新興宗教団体は社会の平和と安全を脅かすことがあるため、こういった意味では、宗教の分化のレベルが高ければ高いほど、社会秩序が不安定であるということになる。

2.　期待寿命。期待寿命は新たに出生した人口において期待される平均的な寿命のことを指し、これは一つの国家または地域の人口の健康状況を測るのに使われ、また経済発展の水準や医療衛生サービスの水準なども間接的に反映することができる。期待寿命は人々の生活の質の総合的な状況の現われであり、精神・健康・生活の改善を促す。

3. 所得格差。所得格差は、国民同士の所得水準の高低差によって生じる所得の格差を指す。国民同士の所得格差が小さければ小さいほど、所得分配の公平性は高くなり、社会もより平和で安定したものとなるため、社会文明の発展に役立つ。世界各国において、所得格差は主に都市部と農村地区の差の現われだが、特に中国ではそういった意味合いが強い。所得格差が縮まって初めて、共同の裕福が実現する。習近平総書記は「発展は人民のためで、発展は人民に寄りかかり、発展の成果は人民で分かち合うものである。これは中国が改革開放と社会主義現代化建設を推進する根本的な目的である」[1]と強調した。所得格差をはかる主要な指標は、ジニ係数と所得額最上位一〇%と最下位一〇%の人々間の所得比といった指標で表される。①ジニ係数は最も多く用いられる、所得格差をはかる指標であり、ジニ係数は「ゼロ」から「一」の間で値が取られる。「ゼロ」は絶対的な所得の公平を表し、「一」は絶対的な所得の不公平を表す。そのため、実際のケースでは、ジニ係数が「一」に近ければ近いほど、所得格差が大きく、ジニ係数が「ゼロ」に近ければ近いほど、所得格差が小さいということになる。国際的に

(1) 習近平「中国発展の新たな出発点 グローバル成長の新たな青写真――二十国集団工商蜂会開幕式上での主旨スピーチ」、人民網、二〇一六年九月四日。

は一般的に〇・四といった数値が所得格差の警戒線となっており、ジニ係数が〇・四より高い場合、その地区の分配の不公平は比較的激しいものであると言える。②所得額最上位一〇%と最下位一〇%の人々間の所得比の最低値は「一」であり、これは最高所得者と最低所得者の所得が同等であることを表す。この値が大きければ大きいほど、貧富の格差も大きいということになり、所得の不平等といった状況がより激しいものであると言える。

㈤　生態文明

現代化の初期段階では、多くの国が普遍的に物質と財産の累積のみを重視し、生態環境に対しあまり重視しないといった傾向があるが、これは人々の需要の段階性が反映されている。何故なら人々は、経済水準の向上に伴い、環境保護の重要性を意識し始め、生態文明も現代化における大切な内容であるということに気が付くからだ。これに関して習近平総書記は、「我々は生態文明の発展を継続させ、資源の節約と環境保護にまつわる国策を取り、生態文明の発展を現代化全体における重要な位置に置き、生態文明の理念を経済、政治、文化、社会などの多方面における全過程に浸透させ、根本から生態環境の悪化傾向から脱却し、中華民族の永続的な発展を確保し、全世界の生態安全に対して我々がなすべき貢献をする必要がある」[1]と強調している。生態文明は現代化における一つの緯度であり、工業文明の持続不可能な弊害を超えた

（1）　習近平「党の十八大精神を徹底して実行し、六つの仕事を突出的に行う必要がある」、人民網、二〇一三年一月四日。

新しい持続可能な文明の形式なのだ。生態文明が現代化指標システムの全体を占める重み係数は一五％で、また、環境汚染、エネルギー消費、緑化面積といった三つの均等な二級レベル指標に分類される。

1. 環境汚染。環境汚染とは、人類が生産・生活の過程において、環境有害物質を非法的に排出・廃棄などの処置を取ることによって、自然環境における物理・科学・生物などの改変を妨げる現象を指す。習近平総書記は「中国は工業化、都市化、情報化、農業の現代化を実現し、新たなる発展の道を歩む必要がある。それにあたり、中国は生態環境の保護を更に重要な位置に置く。我々は緑水・青山と金山・銀山をどちらとも要するが、前者を優先すべきだ。それに緑の水と青い山こそが金山銀山なのである。我々は生態環境の犠牲を代価に、経済の一時的な発展を取ることは絶対にしてはならない。我々は生態文明の建設・美しい中国の戦略任務を行い、子孫に青い空、緑の大地、澄んだ水といった環境を与えるべきだ」[1]と、生態文明の大切さを強調している。環境汚染は主にPM2・5の汚染濃度、食品の品質、水質で現される。PM2・5とは大気の中に含まれる二・五ミリメートル以下の物体を表し、微小粒子状物質とも呼ばれる。PM2・5は有毒物質、有害物質などを含み、空気中で長時間停留し、伝達距離も長いといった特性を持っているため、空気の質に大きな影響を与える。PM2・5は環境と人の健

（1） 習近平「人民の友誼を深め『シルクロード経済帯』を共同建設しよう」、人民網、二〇一三年九月八日。

康を脅かす存在だ。また近年では、環境汚染の食品や水の安全に対する影響も非常に大きく、これらは主に人類の整体資源の過度な利用と開発が自然環境の自己調整可能な域を超えることにより、人々の食品や水などに悪影響を与えることとなる。よく見られるものとして、フッ化物、酸性雨、シアン化物などが挙げられる。

2. エネルギー消費。エネルギーは社会発展の物質的基礎であり、社会の進歩と国民生活の改善はエネルギーの利用効率に依存している。エネルギー消費は主に一人当たりのエネルギー消費、化石燃料消費の割合（fossil fuel energy consumption,% of the total）、一人当たりの二酸化炭素排出量といった三つの三級レベル指標によって測られる。①一人当たりのエネルギー消費とは総エネルギー消費をその地区の総人口で割った値だ。この指標は、その地区の経済発展状況を反映できるほか、その地区におけるエネルギーの利用レベルも反映することができる。異なる年度間での一人当たりのエネルギー消費を比較することで、エネルギーの利用率など、一人当たりのエネルギー消費に影響を与える要素の更なる分析を行うことが可能になる。②化石燃料消費の割合とは、伝統的なエネルギーである石炭、石油、天然ガスなどの消費が全体のエネルギー消費を占める比重のことで、またこれらのエネルギーは再生可能な一次性エネルギーに含まれず、持続的な発展という理念に当てはまらない。そのため、化石燃料の消費が全体を占める割合が大きければ大きいほど、エネルギー消耗の構造が遅れているということとなる。③一人当たりの二酸化炭素排出量とは、国内における一人当たりの二酸化炭素の排出量だ。

気候変動の国際交渉では、二酸化炭素排出の減少は、人類の平等な責任であるとともに、地球上のすべての人は二酸化炭素を排出する権利があると言われている。そのため、一人当たりの二酸化炭素の排出量から、その国の二酸化炭素排出量減少といった責任への負担レベルをはかることができる。

3. 緑化面積。緑化面積は一つの都市における緑化の量とその質を見るもので、その年における人々の生活福利の水準や、都市環境の質と都市の生態文明をはかることが可能な指標の一つだ。緑化面積は一人当たりの森林面積および森林カバー率を含む。①一人当たりの森林面積は、都市における持続的な発展といった目標に影響し、都市森林は大気汚染問題と気候を改善する役割がある。森林面積が増えることで、人々の生活環境はより健康的なものとなり、生態のバランスのとれた発展も見込めるようになる。②森林カバー率はその地区における生態資源の保存量を現しており、都市の住みやすさと国の生態の健康レベルも反映させている。

最後に、これらの五大文明に基づいて作られた現代化指標システムをまとめたものが、表2―8だ。

表 2-8　　現代化指標システム

1級指標	2級指標	3級指標	出典
物質文明(35%)	経済力(7%)	GDP、1人当たりのGDP、第2次産業・第3次産業の割合	Maddison Historical Statisti cs; Pe nn WorldTable8.1
	国際的開放レベル(7%)	貿易開放レベル（GDPを占める貿易の割合）、資本勘定の開放指数、FDIがGDPを占める比重	WDI、Chinn and Ito Database
	科学技術の実力(7%)	研究開発費がGDPを占める割合、ハイテク製品の輸出が製造品の輸出を占める比重、特許出願数 / 人口（または特許引用数）	WDI
	生活水準(7%)	1人当たりの賃金、都市化率、貧困率、乳児死亡率、1人当たりの医療費	WDI、QoG Database
	軍事力(7%)	軍事費支出がGDPを占める比重、世界の武器輸出を占める比率	WDI、QoG Database
政治文明(20%)	政治参加(5%)	政治権利、公民権、市民の社会への参加率、女性参政権の割合	QoG Database
	法治の水準(5%)	絶対的な法治の質量、世界法治質量のランキング	QoG Database
	政府の清廉さ(5%)	腐敗認識指数（CPI)、ベイズ腐敗指数	QoG Database
	ガバナンス能力(5%)	政治的安定、公共管理の質量	QoG Database

前表に続く

1級指標	2級指標	3級指標	出典
精神文明（15%）	教育水準（5%）	初等教育・高等教育の普及率（女性を含む）、平均教育年限	QoG Database
	文化の実力（5%）	科学技術ジャーナル数、商標出願数、商標出願数、世界映画・テレビ文化輸出比率	World Intellectual Property Organization,World Bank
社会文明（15%）	社会秩序（5%）	組織犯罪、衝突密度、民族分化、宗教分化	QoG Database
	期待寿命（5%）	期待寿命	HDI
	所得格差（5%）	ジニ係数、所得が最高10%の群体と最低10%の群体の比率	WDI
生態文明（15%）	環境汚染（5%）	PM 2.5 汚染濃度 食品と水の質	WDI
	エネルギー消費量（5%）	1人当たりのエネルギー消費量、化石燃料消費の割合 1人当たりの二酸化炭素排出量	WDI
	緑化面積（5%）	1人当たりの森林面積、森林面積が全土地面積を占め比率	WDI

〔補足〕Maddison Historical Statistics：マディソン歴史統計データベース。Penn World Table：ペンワールドテーブル。WDI：世界銀行の世界開発指数。Chinn and Ito Database：欽と伊藤オープン指数。QoG Database：品質管理統合データベース。World Intellectual Property Organization：世界知的財産権機関。World Bank：世界銀行。

第三章　先進国の現代化の歩みと規則性

——五大文明の視角

現代化国家とは、高度な工業化を達成した経済、民主的な政治、文化の繁栄、平和で安定した社会、良好な生態環境を兼ね揃えた国家のことだ。

現代化のプロセスとは、一国家が伝統的で封鎖的な農業国から近代的な国家へと移り変わる過程を指す。この過程は国家全体の発展のあらゆる面に及んでおり、経済、政治、文化、社会、生態の五つの面で協同発展し、現代化を実現する過程だ。我々は各国の現代化レベルのみならず、現代化の過程に一定の内在的な規則性があるかどうかを調査したい。つまり、現在現代化への道を歩んでいる国々が歴史的に参照できるものがあるかどうかを調査することになる。第三章では、これらの問いに答えるために、いくつかの現代化を実現した典型的な国家の歴史の歩みを分析・整理することで現代化の道筋における共通点を探し、現代化を終えていない国々へ歴史的な参照物を提供しようとする。

世界範囲で見ると、現代化はおおよそ十八世紀のイギリスから始まっていることが確かだ。そして、イギリスの影響で社会の発展に加え、フランス、アメリカ、ドイツ、日本も次第に現代化していった。これらの国家の現代化プロセスには、もちろん異なる特徴も存在するが、現代化に見られる共通点と規則性も存在する。次に、アメリカ、イギリス、ドイツ、日本、韓国といった代表的な国々の例から分析を行い、現代化のプロセスにおける規則性と特徴を見てみよう。

第一節　先進国の現代化プロセス

先進国の昨日は中国の今日といった言葉をよく耳にする。これは国家あるいは地区の発展に規則性があるからだ。それ故に、発展途上国は先進国を参考とし、良い点と悪い点を取捨選択し、無駄を減らしながら「後発国のメリット」を発揮することができる。我々はアメリカ、イギリス、ドイツ、日本、韓国といった五つの先進国をサンプルとし、五大文明の視野から分析する。これらの国家を選んだ理由は以下の通りだ。まず、アメリカは先進国を率いる存在であり、特に中国にとっては学習および追いかける対象であるため、最初にアメリカの現代化プロセスを五大文明の視角から分析することとした。次に、イギリスは「老舗」の資本主義国家であり、現代化の先行者でもある。イギリスの発展の歩みは時代の烙印が万遍なく押されているのだ。そのため、イギリスを二つ目のサンプルとした。次に、ドイツと日本は第二次世界大戦後、急速に発展を遂げた先進国であり、前者は欧州国、後者は脱アジア的で欧州色の強い一面もある国家であることからサンプルとした。最後に、韓国は第二次世界大戦後、低所得・中等所得から高所得といった水準へと一気に進化を遂げた数少ない国家であり、中国の隣国であることから、学習・参考の価値が高いと判断したためサンプルとした。

一　アメリカ——現代化を率いる者

㈠　物質文明

アメリカの物質文明は、工業化の歩みに伴い本質的な変化を遂げており、工業化の歩みは南北戦争を境に前後の二段階として分けて捉えることができる。

1. 工業化第一段階。アメリカの建国から南北戦争にかけての時期を指す。連邦政府の成立後、どのように現代化を進めるかといった問題に関し、アレクサンダー・ハミルトンを代表とした工業化路線の主張と、トーマス・ジェファーソンを代表とした農業繁栄路線の主張が激しい論争を呼んだ。しかし、現代化は曲がることのない時代発展の方向であるため、ジェファーソンを代表とした農業路線が工業化路線を反対していたにも関わらず、最終的にはハミルトンの工業化計画が実行されることとなり、後の工業化発展の前提条件となったのだった。

建国したばかりのアメリカはまだ農業社会で、製品の生産品質や技術の水準はイギリスなどの欧州国と比べ、明らかに衰えたものだった。しかし、イギリス産業革命の影響を受け、アメリカは積極的に先進技術を取り入れ、人々による発明と創造を支持した。一七九〇年、サミュエル・スレイターがリチャード・アークライト式の水力紡績機の模倣に成功し、アメリカ初の水力紡績所を建設した。アメリカの工業化の歩みはここから始まったのだ。その後、一八〇四年、オリバー・エバンスが高圧蒸気エンジンを発明し、運送や紡績などといった部門でも広がっていった。「蒸気エンジンの応用がアメリカの工場制度の発展と改善を動かした」[1]とは正にこのことだ。そして生産効率の向上と生産量の増加に伴い、工業が市場と原材料に対する需要が増加し、交通に関する要求もより高いものとなった。アメリカ産業革命の初期頃に建設された道路と開拓された運河では、需要を満たすのが厳しくなり、蒸気機関車と鉄道の出現と応用が徐々に需要を満たすようになった。一八三〇年、アメリカ製造の「ベスト・フレンド・オブ・チャールストン号」が現デラウェア・ハドソンの線路上での運行を皮切りに、アメリカでは鉄道建設事業がブームとなり、内戦暴発前には既にミシシッピ川より東の地区における地区鉄道網が既に完成されていた。工場制度と交通運送業の発展が機械製造業の発展を動かし、一八六〇年にはアメリカ北部の機器製造業が一つの独立した立派な工業部門として成り立っていた。これは、北部産業革命の完了を意味する。また、内戦に北部が勝利したことが、アメリカの工業化にとって非常に有利な条件だったことが分かる。北部の工業化の影響を受け、南部も戦後十九世紀七十年代に工業化を終えることができた。そのため、この第一段階の時点でアメリカの工

（1）楊朝輝「アメリカ工業現代化の歩みと独特性の研究」、蘭州学刊、二〇一一年（四）。

業化の基礎は成り立っており、後のアメリカ経済の現代化の基礎となった。

2. 工業化第二段階——第二次産業革命から十九世紀末までのアメリカの産業発展。十九世紀七十年代の第二次産業革命を皮切りに、アメリカの工業発展は新たな段階へと突入した。この時点で第一次産業革命は全国範囲ではまだ未完成だったものの、アメリカ北部では既に第二次産業革命が始まっていたため、アメリカでは二つの産業革命が同時に進行していたということになる。第二次産業革命では、アメリカ工業の発展が国民経済における工業の重要な位置付けを定め、国全体の工業化を実現し、鋼鉄や石油、機器製造などの大型工業と電力工業、ゴム工業などといった新興工業が次第に発展していった。一八五六年にはヘンリー・ベッセマーとウィリアム・ケリーがほぼ同時に溶けた銑鉄から鋼を大量生産する世界初の安価な製法（ベッセマー法）を発明し、一八六八年には平炉を用いたシーメンス・マルタン法を取り入れ、鋼鉄の質量を上げていった。これに加え、新たな鉱物資源の発見と交通の発展が、鋼鉄工業の発展を加速させた。また、石油工業はアメリカの新興工業であり、大きな工業でもある。第二次産業革命の期間中、技術の発展に伴い、人々は油井作りに成功し、石油燃料を用いた内燃エンジンを発明したことにより、石油工業は第二次産業革命において大発展を遂げた。そしてアメリカの製造業は第二次産業革命前に既に一定のレベルに達していた。第二次産業革命の期間では、鋼鉄工業と石油工業の発展が機械製造業の発展を促進させ、機械製造業の発展が各生産部門における機械化を徐々に実現させていった。この他に、アメリカの工業化には高度機械化と生産ライン作業といった特色があったため、こうした短い期間内で大きな成功を掴み、経済を大きく変えることとなった。また、この第二段階では、小麦製品産業、乳製品産業、たばこ産業、製紙産業などといった、アメリカの他の産業も徐々に発展を始めた。

二十世紀に入り、アメリカの工業化は継続して発展しながら、化学工業、自動車工業、電子設備工業なども発展を始めた。これらの工業はアメリカ経済に新たな繁栄をもたらし、産業の変革も実現した。二十世紀二十年代のアメリカの工業製品と輸出商品は技術密集型の製品へと徐々に変わり、経済の基礎は自然資源の強みから労働技術と特殊技術の強みへと変わっていった。(1)

つまり、十九世紀末の段階でアメリカは既に各工業部門が揃った、現代化の初歩体制がある国になっており、重工業を主要とした工業国へと動き始めていたということになる。また、十九世紀九十年代のアメリカの伝統産業と新興産業の生産量は、他の西洋の先進国を越しており、当時の世界統一の工業現代化基準にも達していた。これを機に世界の工業現代化基準にもアメリカの特色が加わることとなった。今日に至るまで、アメリカは世界工業現代化の発展を引っ張り続けている。

内戦後、大勢の移民がアメリカに移住し、市場の需要が増加した。ここで、鉄道事業の発展

(1) 李慶余、周桂銀『米国現代化の道』、北京、人民出版社、一九九四年。

が全国的な市場の形成に有利な条件を与えることとなる。また、これと同時に大企業による規模生産と規模販売の組み合わせ、そして大口の貨物償却企業などといった独自の市場メカニズムが作られた。

工業化を基礎とし、アメリカは徐々に都市化といった段階へと移り変わった。都市化は工業化の結果であり、現代化を測る指標として、工業化と共に重要視されている。アメリカの都市化は時期的には、第二次産業革命開始後半世紀以内におおよそ完成している。第二次産業革命がアメリカの農業機械化の水準の向上を促進させ、農業が現代化を実現させた。それによって、多くの農業労働力・農業人口が都市に流れ、都市人口と農村人口の人数比も上昇し、都市化を進めることとなった。また内戦後、交通鉄道網は瞬く間にアメリカ全土をカバーし、西部地区の村落を徐々が都市として発展していった。この他にも、鋼鉄業・交通機関・都市交通システムの発展などがアメリカの都市化を更に加速させた。そのため、二十世紀初期のアメリカの都市化は既に一定のレベルまで発展しており、現代化の農業・工業・交通網・交通機関の発展がそれ以降の更なる都市化に向け基礎を築き上げた。

その後、都市化の止むことのない加速に伴って都市の中心部が飽和し、市街地における様々な問題が出現し始めた。工場と住民は郊外に移動し始め、アメリカの都市化は郊外化の段階へと突入した。二十世紀二十年代、工場のライン生産といった生産方式の改変、工場規模の拡大、そして市街地における地価の上昇が工場に必要な土地の条件を変え、工場は次第に郊外へと移動することとなった。また、自動車の普及も多くの人々が郊外へ移住することとなった要因の一つだ。この段階で、アメリカ経済の繁栄と物質面における富裕が中産階級を増やし、中産階級の地位と価値観が混雑した都心部から、郊外への移住を促した。また、政府の政策も郊外化の発展を促進させていた。まず、連邦政府が多くの資本を郊外に投入し、郊外工業の発展を促進させ、更なる労働力、原料と資本が郊外に流れるように仕向けた。また、連邦政府は長期に渡り、郊外の住宅にとって有利な周宅に関する政策を出し、郊外における大規模な道路工事助成の施策も行った。このような数々の政策・措置が郊外化を大きく進めることとなったのだ。そして、地方政府の税収と公共施設にまつわる政策の差も郊外化に一定の影響を与えている。中産階級の移住と企業の移転に伴い、都市部の税収が減少し、重税政策を取ることとなった。それによって都市の魅力は更に弱くなり、良好な公共インフラを提供することが難航した。それに対し郊外は真反対で、税収の負担は軽く、良好な公共インフラを提供することも容易だった。つまり、二十世紀二十年代以降、アメリカのさまざまな社会条件が郊外化を有利にし、郊外化が急速に進み、郊外の都市化が進んだのだ。

それと同時に、都市の郊外化は都市構造にも変化をもたらした。都市構造は集中型から分散型へと移り変わり、都市機能の分区化・配置はより合理的なものとなった。二十世紀二十年代以来、都市構造に関して、アメリカの都市学者たちが数々の関連した理論を出しており、その中でも特に代表的なのは、ロバート・E・パークによる人間関係サイクルや、ホーマー・ホイトによるセクター・モデル、ハリスなどによる多核心モデルなどが挙げられる。この三つの理論はすべてアメリカの都市発展に影響を与え、その中でも多核心モデルがアメリカ社会とアメリカ経済にもたらした影響はとても大きいとされている。多核心モデルの都市は経済と社会においてより良い発展を進めることが可能になった。例えば、東部の中心都市と比べると、アメリカ南部と西部の大都市は典型的な第二次世界大戦後に更なる発展を得た多核心モデル都市であることが分かる。

そのため、以上の数段階に渡る発展を経て、都市化はアメリカの現代化における重要な特徴となり、「都市経済・都市生活の方式は既に社会のすべての領域に浸透し、全国の隅々まで拡散され」(1)、アメリカの経済と社会の発展に大きな影響をもたらした。

(二) 政治文明

独立戦争後、アメリカはイギリスの殖民統治からの脱却に成功し、国家の独立を実現した。しかし、独立して間もない頃のアメリカは、統一された有効な国家ガバナンスシステムが完備していなかった。当時のアメリカが実施したのは連邦制で、権力は主に各州に分担されていた。したがって、アメリカ中央政府の権力は弱く、国家経済などの問題をうまく処理することが困難だった。こうした問題がアメリカ経済・社会の発展を停滞させることとなる。一七八七年、

(1) 李慶余、周桂銀『米国現代化の道』、北京、人民出版社、一九九四年。

制憲会議がフィラデルフィアで行われ、繰り返し行われた協商を経て、アメリカは最終的に「憲法草案」を決行する運びとなった。この草案に基づき、アメリカは連邦制と三権分立制を実施し、アメリカの特色のある政体（政治の組織形態）を確立させた。これ以降の発展では、交替しながら政治を行う二党制を徐々に生み出していき、資本主義の民主化も進めた[1]。

アメリカは次第に国家ガバナンスシステムを整え、国を治めるガバナンス能力が強くなり、政治の現代化が実現された。市場と政府の関係において、アメリカは実際の状況に基づいた政府機能の定位や管理方法の調整などを行い続け、ガバナンス能力を高めることに成功した。初期のアメリカは自由主義の観点に基づき、市場には干渉しなかった。しかし内戦後、アメリカ経済の迅速な発展に伴った多くの社会問題・経済問題が現れたことにより、十九世紀末から二十世紀初期にかけて、アメリカ政府は市場の独占行為に対し、干渉することを試験的に始めた。そして一八九〇年には「シャーマン法」、一九一四年には「クレイトン法」と「連邦貿易委員会法」を立法し、それと同時に関連機構を新たに設立し、初歩的な反独占体制を整えた。一九二九年の経済危機発生後、一九三三年の「ニューディール政策」の発案がアメリカ政府の経済社会への全面的な関与の第一歩となり、政府は金融経済、インフラの建設、社会福祉シス

（1）　異なる政治の文明或いは政治の民主においては国情との合致が必須である。その為、三権分立は一種の資本主義政治文明を体現させたものであり、社会主義の政治の文明と簡単に比較してはならない。

テムなどの面へと関与するようになった。そして二十世紀七十年代のアメリカではインフレーションが発生し、二十世紀八十年代の政府機構は膨張問題が激しく、政府の公共支出の負担も大きいものとなった。そのため、二十世紀八十〜九十年代にアメリカは一度政府の管制を緩め、公共管理に関する改革を行った。

また、アメリカ政府は非営利組織の役割を充分に発揮させ、社会の自己修復力を上げることに成功した。「アメリカは一連の行政改革の過程で、政府・企業・社会組織の分業と協力が明確になった社会ガバナンスのモデルを作り上げ、その中でも強大な非営利組織に重要な役割を発揮させ、それがアメリカの社会ガバナンスの突出した特徴と利点となった」[1]。こうしたガバナンスモデルのもと、アメリカの民衆は広い範囲に渡って社会ガバナンスに参与することとなり、社会の活力が生まれ、安定した社会を維持することが可能になった。

政府の清廉さといった面では、アメリカ政府は常にすべての法律・法規を健全し、政府の腐敗に対する予防と監視を行い続けていた。一世紀前のアメリカでは、政府の腐敗といった現象が発生したことがあったが、一八八三年のアメリカ国会の「ペンドルトン公務員改革法」を通し、文官制度を功績制へと変え、その後更にいくつかの腐敗に関する法案を通し、政府の腐敗を抑えることに成功した。そして「ウォーターゲート事件」後、アメリカの反腐敗システムは

(1) 張暁明「アメリカの国家治理体制と治理能力の現代化の過程　やり方と啓示」、現代世界と社会主義、二〇一五（二）。

更に改善され、今日まで用いられている。[1]

㈢　精神文明

独立戦争前、教育は主に家庭と地域の仕事だった。しかし、アメリカの創設者たちは公民教育の重要性を認識しており、特にアメリカのような移民国家にとって民族的アイデンティティ教育は重要であるといった事を踏まえ、政府は公民教育の管理と発展を始めた。一七七九年に「アメリカ憲法」が実施され、国民の教育に大きな影響をもたらした。この時期の国民教育は主に大衆の民族アイデンティティと「愛国と団結を主な内容とした公民の道徳観念の教育と、自由平等を主な内容とした公民の価値観」[2]を強調していた。しかしこの頃の女性と奴隷とインディアン人は、公民としての資格が認められていなかった。

この時期の教育も徐々に教会による管理から国による管理へと移り変わっていった。政治や経済、社会などの条件の下、国が教育を管理することが以降のアメリカの公民教育における基礎条件となった。

ジャクソン大統領の任期中には、女性の権利と教育、そして奴隷制の排除が提唱され、公民教育の発展を促進させた。十九世紀中期、「公立教育の父」であるホーレス・マンが全米の子

---

(1)　張暁明「アメリカの国家治理体制と治理能力の現代化の過程　やり方と啓示」、現代世界と社会主義、二〇一五（二）。
(2)　蘇守波、饒従満「アメリカ現代化の過程における公民教育の特徴」、外国教育研究、二〇一三（四〇）。

供に対する義務教育を実行し、公民教育の領域における激しい論争が巻き起こされた。しかしこの頃のアメリカでは、未だに下流階級の子供たちは公立学校に入ることができない上に人種差別などの問題が存在していた。

一九一六年、全米教育協会が全米の学校において「社会科」の授業を設けるといった内容を決行した。これはアメリカの現代公民教育の形成を意味する。一九一八年には「社会科」の授業が正式に確立され、アメリカの公民教育の内容をより一層豊富にさせた。また、この期間で女性の投票権が確立し、インディアン人も無条件で公民地位が与えられた。公民資格の改善も、この段階における公民教育に対し大きい影響を与えた。そのため「社会科」の設立はこの時期における要点であり、アメリカの公民教育の発展を大いに促進させた。

第二次世界大戦前のアメリカ公民教育は、品行の教育、愛国主義の教学と象徴的な儀式、地域活動の保証、民主ルールの理解などに焦点を当て、アメリカの英雄人物・歴史人物への理解と愛国集会への参加を強調していた[1]。しかし第二次世界大戦後、高出生率などといった社会現象の発生に伴い、学校不足などの問題が日に日に深刻化していった。二十世紀五十年代には、冷戦による国防教育と自然教育がアメリカの公民教育を弱め、六十年代には青少年の道徳危機現象を受けて、多くの州が立法し、義務教育を規定した。七十年代には、アメリカ教育協会な

（1） 于海静「アメリカ公民教育の歴史沿革・現状と発展傾向」、芸国教育研究、二〇〇四（三）。

どの組織が積極的に有効な策略を提案し、公民教育を改善させていった。

㈣　社会文明

第二次産業革命後、経済の急速な成長と都市化の迅速な発展に伴い、アメリカには貧富の格差や労働者の権利保障、食品と医薬品の安全問題などといった多くの社会問題が生まれ、民衆の不満を呼び起こし、アメリカ社会の安定に影響を及ぼした。これらの社会問題に対し二十世紀初期に、アメリカ政府は「社会規制法律システムの整備、社会規制行政機構の改革、社会規制機能の専門化」[1]を通し、生産安全や消費安全などの問題を解決させた。例えば、一九〇六年には「肉類検査法」と「純良食品・薬品法」を制定し、連邦食品医薬品局を設立させた。また、日々深刻化する社会危機を解決すべく、公民の社会権利を認めて保護し、関連した社会政策を制定・実施するといった対策も取った。セオドア・ルーズベルトによる社会政策からフランクリン・ルーズベルトの更に大規模な社会政策にかけて、アメリカ政府は社会政策を通して、公民の社会権利を保護し、システム的に当時の深刻化する社会問題を解決していったのだ。例えば、ルーズベルト新政権の間と一九三五年に可決された「社会保障法」が全国民の退職後の福利を保証し、それと同時に労働者組合、メディア、民間ボランティアなどの組織を整理整頓す

(1)　曾志敏「強い政府・強い社会——社会治理の現代化におけるシンガポールとアメリカの経験」、社会治理、二〇一六年。

るなどして、あらゆる問題を緩和させ、社会問題を解決していった。

二十世紀半ば、ヨーロッパ諸国が次から次へと福祉制度を創立する背景の下で、アメリカの社会福祉が低いといった問題に対し、アメリカは医療健康や教育、その他の社会保険などあらゆる方面において関連の対策を取り、全面的に社会福祉を拡大していった。また、反貧困計画も実施し、貧困層を無くし、一般民衆の生活水準を上げることにも成功した。

㈤　生態文明

近代以降、ルネサンス、科学革命の進展とともに、人間と自然を対立させる機械主義的な自然観が西洋で盛んになり、このような観念も次第にアメリカの現代化を主導する思想となった。このような観念は、人類の自然に対する認知の進歩の産物であり、人と自然の関係における不調和をもたらすこととなった。こうした自然観のもと、アメリカは現代化の過程で生態環境の面で大きな代価を払うこととなった。アメリカの現代化は人類が自然を征服した歴史、並びに自然環境が深刻に破壊された歴史と言っても過言ではないだろう。

西部の開発は、アメリカの現代化のために重要な役割を果たしたが、生態系が破壊されてしまった。一六五〇～一八五〇年の間にアメリカでは合計四十六万平方マイルの森林が伐採され、一八五〇～一九一〇年の間では更に八十万平方マイルが伐採されていた。一九二〇年の段階で、アメリカ北部と中西部では、既に九六％の原始森林が失われていた。また、アメリカ現代化の過程で、中西部の大草原でバイソンが絶滅し、牧畜業が拡大した後、西部は史上最大の生態災害に見舞われ、二十〜三十年代に砂嵐が発生した。

アメリカの現代化により、資源の浪費や環境破壊、環境汚染などといった深刻な問題も生じた。アメリカの採鉱業を例に挙げると、採鉱業は資源の浪費が大きいだけでなく、十九世紀の採鉱業で主に用いられた水利採鉱法では、廃水が鉱脈上の表土と砂利を水路に持ち込むことになり、水質汚染と土砂堆積を起こし、河川の生態系維持機能を大幅に低下させてしまった。また、環境問題に関しても、シカゴとミシシッピ川の両岸の都市では、一八八八年にミネアポリスだけで一日五百トンの下水がオールドマン川に排水された。一九〇三年には同市の製材所で三億二八〇〇万立方フィートの木材が生産され、これらの木屑はすべて川に捨てられた。また、当時加工工業と屠畜業を中心としていたシカゴは、屠殺された家畜などの廃棄物を直接ミシシッピ川に流した。[1]これらの行為が下流水域を大汚染させることとなった。

日々悪化する環境問題に対し、アメリカの人々は徐々に環境の重要性を認識し始めることとなる。十九世紀末から二十世紀上半期にかけて、資源保護運動が次第に催され、セオドア・ルーズベルト大統領を代表とした政府が重要な役割を発揮した。彼らは経済至上といった概念を捨て、自然資源の利用を企画・保護し、アメリカの環境保護の大枠を確立させた。[2]二十世紀三十

（1）　参照：A Smith, Mining America, The Industry and the Environment. pp. 1800-1900.

（2）　付成双「自然の制服から荒野の保護まで　環境史の視野の下のアメリカ現代化」、歴史研究、二〇一三（三）。

年代、フランクリン・ルーズベルトが環境保護に関するいくつかの政策を実施し、環境保護の新たなトレンドを作り上げた。全体的に見ると、二十世紀上半期のアメリカは環境保護の面で大きな成功を遂げており、徐々に環境保護体制を整え始めたと言える。しかしこの環境保護はあくまで人類の利益が最優先に考えられたものに過ぎなかった。レイチェル・カーソンの『静かな春』の出版をきっかけに環境保護運動が起こり、この背景のもと、アメリカ社会では改めて以前の環境保護政策が見直され、環境保護主義の新時代へと突入した。例えば、一九六四年に可決された「荒野法」では、アメリカ政府が「荒野を代表とした大自然の内在価値を認め、人類に好都合な生態保護の指導方針にするのではなく、生態の多様性を維持するといった方針を固めた」(1)という。

二　イギリス――現代化の先駆者

(一)　物質文明

十八世紀半ばから十九世紀四十年代にかけて、イギリスでは産業革命が進行した。産業革命の期間、ジェニー紡績機、水力紡績機、蒸気機関、蒸気機関車などの発明が巨大な生産力を生

(1)　付成双「自然の制服から荒野の保護まで　環境史の視野の下のアメリカ現代化」、歴史研究、二〇一三(三)。

み出し、産業革命がイギリスの工業を手工業から大型機器生産へと変え、工業を迅速に発展させ、イギリスは産業化を遂げた。十八世紀末から十九世紀半ばにかけて、イギリスの紡績や鋼鉄、石炭などの総生産量は数十倍から百倍といった増加ぶりを見せた。産業化が国民総生産の迅速な増加を促進させ、十九世紀中頃には既に世界で最も富裕な国家となっていた。一八五一年五月一日、第一回世界万博がイギリスで開かれ、世界に国力の強大さを示すこととなった。

産業革命の影響で都市人口の比例が大幅に増加し、次第に大都市が形成され、都市化の水準が上がり続けた。また、国際貿易の領域でもイギリスは「自由放任」といった理論を貫き、産業革命の影響のもと、国際輸出量も迅速に増加させていったのだ。

(二)　政治文明

一六八八年の名誉革命[(1)]（Glorious Revolution）後、「権利の章典」が発布され、立憲君主制が確立されたことによって、君主の権力が弱まり、議会が国家権力の中心へと移り変わっていった。しかし、経済と社会の発展に伴い、議会選挙制による弊害が見受けられるようになった。腐敗した議会選挙により、政治の権力が貴族の手に渡り、経済と社会の更なる発展を妨げることとなった。この問題に直面し、数多の改良と努力を経て、一八三二年、一八六七年、一八八四年の三回に渡る議会の改革が行われた。一八三二年の議会改革では新興中産階

（1）一六八八年から一六八九年にかけて、ステュアート朝のイングランドで起こったクーデター事件である。

級に選挙権が与えられ、一八六七年の改革では多くの労働者階級が選挙権を持つようになり、一八八四年の改革では成人男性の普通選挙権が実現された。そして一九二八年には、イギリスのすべての成人が平等な選挙権を獲得することとなった[1]。

㈢　精神文明

イギリスの教育の発展過程は、長い年月をかけて一歩一歩発展してきたものだった。中世末期から一八七〇年にかけてのルネサンス、宗教改革などの展開が、イギリスの教育内容や目的などに大きな影響を及ぼし、教育の世俗化を推し進めた。また、イギリス資産階級政権の建立も教育の民主化の発展に大いに貢献した。「イギリスの自由主義の伝統は強く根付いたもので、家庭と教会を重視した教育の責任は国家が間接的に関わるものだった」[2]。しかし、以前の教育の発展スピードが遅かったことで、こういった観念は既に産業革命後の社会的ニーズに適さないものだったため、国家が教育に参与する必要性がどんどん高まっていった。一八三三年、イギリスの議会は全国の教育の促進を目的とした二万ポンドの教育支援金を出し、グレートブリテン及び外国の学校協会が所属学校への分配を行った。「これはイギリス史上初めての教育事業における公金の支援であり、これは国家の教育事業に対する参与が始まったことを意

(1)　劉金源「イギリス工業化の模式と弊害」、湘潭師範学院学報（社会科学版）、一九九八（四）。

(2)　顧明遠「民族文化伝統と教育の現代化」、北京、北京師範大学出版社、一九九八年。

味する」[1]。一九七〇年、イギリス議会より実施された「小学校教育法」が、五～十二歳の児童に強制的な小学校教育を行うことを規定し、イギリスの小学校制度が建立された。その後、更なる関連した教育法令の発布により、イギリスでは無料の小学校教育が実施されるなど、国民の小学校教育における発展を見せた。しかし経済社会の更なる発展により、小学校教育だけでは社会的ニーズを満たすことが難しくなった。十九世紀末から二十世紀初期にかけ、イギリスでは中等教育を提供する高等学校が出現した。一九〇二年に「バルフォア法」が発布され、イギリス公立中学校教育制度の基礎を作り上げた。一九四四年にイギリスの議会で発表された「一九四四年教育法」は、「戦後のイギリスの教育発展のための包括的な法的枠組みを提供した画期的なものだった」[2]。

㈣　社会文明

産業革命後、イギリス社会では貧富の格差が広がり、労働者の合法的権益が保証されず、下層民衆の生活が苦しくなってきた。十九世紀初期、イギリスのチャーティスト運動が政府の社会改革による日々深刻化する社会問題の解決を余儀なくさせることとなった。十九世紀三十年代には「救貧法」、「公共衛生法」（一八四八年）などを実施し、救貧といった独立した行政庁

（1）　陳志全、李躋進「イギリスの教育の現代化の家庭から教育の伝統と変革を見る」、宿州学院学報、二〇〇六（二）。
（2）　呉文侃、楊漢清『教育学の比較』、北京、人民教育出版社、一九九九年。

などの関連省庁が設置され、政府は貧困扶助や貧富格差の縮小、公共サービスの提供などに責任を負うようになった。

二十世紀三十年代の経済危機と第二次世界大戦が、イギリス国民の生活水準を著しく低下させた。人々の生活水準を改善すべく、第二次世界大戦後、イギリス政府はより完璧な福祉制度を築き上げるための準備を始めた。まずは「国民保険法」(一九四六年)、「国民医療保険法」(一九四六年)、「国民救済法」(一九四八年)など法案の発布を始めに、一九四八年には世界一の福祉国家の座まで登りあがった。[1] その後、実際の状況に基づいた調整を経て、イギリス政府は人々の最低生活水準を保障するのみならず、国民が仕事に励むことを激励し、良好かつ秩序ある社会を維持することに成功した。

(五) 生態文明

イギリス産業革命の展開と、当時の西洋で流行した人と自然が対立した機械自然観の影響下、イギリスは順調に産業化を実現する傍らで、環境面で大きな代価を払うこととなる。産業革命後、イギリスでは酸性雨やスモッグ、テムズ川の水質汚染などの問題が相次いで発生した。深刻な環境汚染問題により、イギリスは環境の管理と保護を重視せざるを得ない状況となった。スモッグ問題を解決すべく、一八四三年、イギリス議会の討論では「蒸気機関と煙突排気を規

(1) 王薇「イギリスの推進する社会治理現代化の主要過程・特徴と啓示」、現代社会と社会主義、二〇一五(二)。

制する法案」[1]、一八六三年の議会では毒気体排出を制限する「アルカリ法」が制定された。また、一九五二年のロンドンスモッグ事件の発生を受けて、空気汚染対策を全面的にシステム化された管理を行う「大気浄化法」が制定された。そして水質汚染の面では、イギリスは「河道法令」、「首都管理法案」、「汚染対策法案」、「公衆衛生法」（一八七五年）を通し、水質汚濁と都市用水の問題を解決させた。

百数年に及ぶ努力を積み重ね、産業革命によりもたらされた汚染問題を解決することに成功し、本来の環境を取り戻したイギリスは環境管理の良い成功例となった。

三　ドイツ——工業化によって推し動かされる現代化

(一)　物質文明

ドイツの工業化の立ち上がりは比較的遅いもので、十九世紀三十年代になって展開された。この段階では、ドイツの紡績業、採鉱業、冶金業が一定レベルで発展していたものの、発展はやや遅いものだった。資産階級による一八四八年革命後の二十年で、ドイツの工業は迅速な発展ぶりを見せた。一八四八年革命がドイツの統一を実現し、これがドイツ工業発展の舞台となっ

（1）　李宏図「イギリス工業革命期の環境問題と治理」、探索と争鳴、二〇〇九（二）。

た。一八四八年以降、軍国主義が立ち上がり、「プロイセン政府が武力でドイツならびに欧州を統一しようとした試みが、直接的に十九世紀五十年代と六十年代のドイツ工業の発展を推し進めた」[1]。この他にも、ドイツの植民地拡張もドイツ工業、中でも武器生産の迅速な発展に貢献することとなった。

また、ドイツの工業化に見られる特徴として、工業発展の重心を軽工業から重工業へと素早く変わったという点があり、これも工業化を加速させ、ドイツを工業強国へと育て上げた要因の一つだ。十九世紀五十~六十年代のドイツ工業は、特に重工業の発展がすさまじく、その中でも鉄道建設ブームが各種重工業部門を大きく発展させた。十九世紀七十年代、ドイツは第二次産業革命のチャンスを掴み、電力や化学などの新興工業をも迅速に発展させ、イギリスを追い越すポテンシャルを持った国となった。二十世紀初期のドイツは、英米より短時間で工業化を終え、重工業を主要とした欧州一の資本主義国家となっていた。

ドイツ工業化の展開に伴い、十九世紀四十~七十年代にドイツは大量の農村労働者たちを都市に入れ、都市を拡張させることで迅速な都市化を成功させた。十九世紀七十年代から第一次世界大戦前にかけてのドイツは、都市規模の拡大や都市機能区分の合理化、そして総合性のある大都市の開発など更なる発展を遂げていた。二十世紀初期には「工業とサービス業の総生産

---

(1) 林進成「ドイツ工業化の道における特徴」、世界歴史、一九八二(五)。

が国民総生産の約七〇％を占め、住民数が二千人以上の都市の人口が全国人口の六〇％を占めており」[1]、ドイツの都市化は基本的に完成していたと言えるだろう。

㈡　政治文明

十八世紀には、一定の社会・経済・文化的条件の下で、ドイツは啓蒙専制君主を実行した。フリードリヒ二世が主導し、ドイツでは中央集権の国家機関の設立や、司法改革の進行、宗教的寛容、科学技術の提唱などといった一連の改革が行われた。啓蒙専制君主がドイツ政治現代化への道を切り開いたのだ。十九世紀初期、プロイセンとドイツ帝国の各邦はフランス大革命の影響を受け、国家機構を改革し、農奴制を廃止した。この期間で、各邦の都市は自治権を獲得し、市民選挙によって選ばれた市の議員が代表として全ての公共事務に参与した。この頃、選挙権を持っていた市民は少数だったものの、既に比較的完全な現代国家機構が完成していた上に、市民が自治権を獲得していたため、これらの要素も政治の現代化に更なる発展をもたらしたと捉えることができる。一八四八年、ドイツでは一連の抗議やデモなどが横行し、これらはすべて鎮圧されたものの、プロイセン国王ウィリアム四世による国内改革を推し進めることとなった。一八五〇年にプロイセンは一つの憲法を発布した。この憲法ではすべてのプロイセン人は法律上一律で平等であり、公職は大衆に開放されており、国民は宗教、教育、人口移動

(1)　肖輝英「ドイツの都市化・人口の流動と経済の発展」、世界歴史、一九九七(五)。

の自由などの権利を有するといった事が認められた。この憲法はドイツ政治の現代化へ向けた大きな一歩となった。十九世紀六十年代頃、ドイツでは再び統一の盛り上がりが現れ、三回に渡る王朝戦争を経て、一八七一年には統一が実現された。一八七一年に制定されたドイツ帝国憲法では君主立憲制が確定され、選挙によって議員が選ばれる帝国議会が作られ、満二十五歳の国民には投票権が認められた。そして一九一八年には満二十歳の女性の選挙権も認められるようになり、ドイツは政治の現代化の道を今日も突き進み続けている。

㈢　精神文明

宗教改革がドイツの教育の発展を動かした。何故なら宗教改革が教育を広げ、義務教育を普及させ、政教分離と神学校制度の建立を促進させ、それによってドイツ内の各公国（公爵を君主とする国家形態）が教育を重視し、義務教育を実施したからだ。一七九四年にはプロイセンが教育機構を国家機構とし、ドイツはヨーロッパ諸国の中で初めて教育権を教会から国家へと回収した国となった。十九世紀、工業と経済の発展に伴い、ドイツでは教育改革と教育の創新が進行され、四年の小学校義務教育や、多項目分流学制の中等教育が実施された。この他にも、ドイツは初めて幼稚園を立ち上げ、幼児教育の発展を推し進め、教師資格試験を作り、大学の建設による高等教育の発展を進めるなどして、全面的な教育体制を形成していった。学校教育の面では、科学知識を主要とした教育を強調し、教会の影響を減らし、教育を就学前教育、初等教育、中等教育、高等教育といった四つの大きな領域に分け、教育システムを完備させていった。

　そのため、ドイツは国民の教育を重視しており、絶えることなく教育の改革と創新を行い、教育発展の最前列を歩んできた。これがドイツ文化の現代化を推し進め、文化の実力と経済の実力を向上させることに大いに役立った。

㈣　社会文明

　一般的に一つの国家の社会現代化のレベルは人口形態、国民の学習および生活状況、社会の連係レベルといった三つの方面によって表される[1]。ドイツ帝国時代には工業と経済の発展に伴い、一人当たりの国民所得と平均消費が迅速に増加し、ドイツの生活水準が大幅に上昇した。当然ながら、異なる業界と異なる地域間における発展は均衡なものではないため、ドイツの各業界・各地域の国民所得水準には一定の格差が存在した。

　社会構成の視角から見ると、より多くの低所得者が中高所得階層へと入ってくなど、ドイツでは確かに全体的に生活水準が上昇していたことが分かる。しかし、ドイツには依然として貧富格差の拡大などといった社会問題が存在した。国民の生活水準を上げるべく、ドイツは一連の法律と政策を通して、現代社会における保障システムを改善し、労働者の福利厚生を増やす試みを行った。十九世紀八十年代にドイツは率先して国家社会保障の立法を実施し、労働者の

(1)　邢来順「ドイツ帝国時代における社会現代化の歴史考察」、華中師範大学学報（人文社会科学版）、二〇〇八（四七）。

合法な権利や養老の保障、医療の保障などを強化した。この段階でドイツは「疾病保険法」、「意外事故補償法」、「高齢者および障がい者の保険法」を発布し、その後更に相応の修正を行い、現代社会保障制度の発展を促進させた。労働者の福利厚生といった面では、多項目の労働者保護に関する立法と労働者の労働環境に対する安全検査の実行、そして労働者住宅建設への投資などを行った。

そのため、第一次世界大戦前の段階でドイツの社会現代化は既に大発展を遂げており、人々の生活水準は高く、社会秩序は安定していた。

㈤ 生態文明

ドイツも他国と同様に「先に汚染し、後に処理する」といった環境管理の道をたどっている。工業と経済の発展に伴い、ドイツでも深刻な環境汚染現象が発生した。二十世紀七十年代後、ドイツの生態管理は民衆による環境運動から始まった環境保護の制度化といった過程を経た。七十年代後、国民の行動組織数の激増が環境運動の範囲の地方性・業界性の枠を徐々に無くしていき、数多くの連盟と連合行動を巻き起こした。[1]政府も環境管理を重視するようになり、環境にまつわる立法や環境教育、経済措置などの手段を用いて環境管理を進行した。一九七二年にドイツは第一部の環境法を制定し、その後全国と各州が続いて千部以上に及ぶ法律・法規を

(1) 鄔暁燕「ドイツ生態環境の治理経験と啓示」、現代社会と社会主義、二〇一四(四)。

作り、徐々に完備された環境法律体制を形成していった。ドイツ政府は更に積極的に学校教育、家庭教育、社会教育から国民への環境教育を行うように力を入れていた。経済面では、ドイツ政府は税収、汚物排出許可証、経済援助、環境保護友好型企業への助成・援助などの方法で経済と生態の調和のとれた発展を促進させた。

これらの努力を通し、ドイツの環境管理は大成功をおさめ、徐々に経済目標と生態目標の統一を実現させた。

四　日本――アジア現代化のお手本

㈠　物質文明

日本は一八六八年の明治維新後、立憲君主制が確立し、工業化も始まった。明治維新から第一次世界大戦にかけて、日本政府は多くの政策を採り、工業の発展を促進させてきた。この段階では主に「高額の農業税を取ることで農業を凝縮させ、工業の発展へと仕向けた」[1]ことにより、工業が迅速に発展し、日本は農業国から工業国へと変わっていった。そして工業の発展が農業も発展させ、それにより都市化も進んでいった。工業化の発展に伴い、より多くの労働者

（1）郝寿義、王家庭、張換兆「日本工業化・都市化と農地制度の歴史的考察」、日本学刊、二〇〇七（一）。

が農業から第二次産業、第三次産業へと転換し、多くの農村人口が都市へ流れ、都市人口の比例も迅速に上昇した。

一九二〇～一九五〇年にかけて、日本の工業化は新たな発展段階へと進む。この頃の日本の工業は発展が早く、日本の工業は徐々に自己累積能力を持った発展方式へと変わっていった[1]。当時の工業化レベルは既に一定のレベルに達しており、都市化の発展をもたらしていたが、戦争の影響があったため、この段階における高速な工業化の発展は少し変わったものだった。「一九二〇～一九三〇年の第一次産業、第二次産業、第三次産業のGDP増加に対する相対的な貢献度はそれぞれ七・一％、八五・九％、七％」[2]と、第二次産業の貢献度が約八六％も占めているのに対し、第一次産業と第三次産業の貢献度はかなり低いものだった。また、一九三八年以降の第二次産業の比率は大幅に上昇しており、産業構造が異常だった。「重工業がすべての工業を占める割合は、一九三七年に五五・八％だったものが、一九四四年には七九％といった迅速な上昇ぶりだった」[3]。

戦後の十年におよぶ回復期を経た二十世紀八十年代にかけて、日本の工業化は更なる加速ぶりを見せた。この段階における「各産業のGDPは五十年代中期の一六・七％、三七％、

（1）郝寿義、王家庭、張換兆「日本工業化・都市化と農地制度の歴史的考察」、日本学刊、二〇〇七（一）。
（2）南亮進『日本の経済発展』、北京、経済管理出版社、一九九二年。
（3）侯力、秦熠群「日本工業化の特徴と啓示」、現代日本経済、二〇〇五（四）。

五〇・四％といった比率が八十年代初頭には三・六％、四五・七％、五〇・七％といったものになり」[1]、産業構成が改善され、工業化が進み、経済は高度成長することとなった。八十年代に日本は工業化の実現に成功し、また工業化が大幅に都市化の速度を加速させ、九十年代の日本の都市人口の比例は既に七〇％に達していた。

㈡　政治文明

一八六八年に日本は明治維新を起こし、国家行政管理体制や地方自治制度の改革などといった一連の改革が行われた。これによって社会階層が簡略化され、インフラの建設などもより豊富なものとなった。明治維新は日本の伝統的な国家の形態と自治機構をよりよく一変させ、その成果は経済のみに留まらず、科学技術・軍事力の発展や政治の現代化といった領域でも大きな成果をもたらした。

第二次世界大戦後、アメリカ主導のもと、日本の憲政は土地改革の実施や財閥の解散、労働法の立法などといった大変革を遂げることとなる。一九四六年には日本国憲法が発布され、天皇は日本国の象徴であることが強調され、大日本帝国憲法における「天皇は絶対的な存在で、天皇が統治権を持ち、天皇が陸海軍を率いる」というような内容とは全く違うものになった。一九四七年に日本政府は引き続き一連の法律を発布し、日本国憲法が正式に実施され、第一回

(1)　郝寿義、王家庭、張換兆「日本工業化・都市化と農地制度の歴史的考察」、日本学刊、二〇〇七（一）。

の国会が開かれ、新内閣が成立した。戦後には民主化改革を経て、日本の政治は基本的な現代化を実現した。

㈢ 精神文明

近代以来、国の富強を実現するため、日本は教育の役割を重視してきた。明治維新をきっかけに日本は現代化した教育体制を整えはじめた。一八七二年に日本政府が発布した「学制」では、異なる階層の六歳以上の児童の平等な義務教育が認められ、全国的に小学校が設けられ、現代教育の基礎となった。一八七四年には日本初の師範学校が設けられ、専業教師の人材を育て、教育の発展を促進させた。また日本政府は技術教育を重視しており、それらが徐々に完全な実業教育網を形成していった。また、日本では高レベルな専門的な人材を育てることを目標とした大学も設けられ、高等教育の発展に大いに貢献した。第二次世界大戦後、日本はアメリカの指導のもと、新たな教育体制の改革を実施した。幾度にわたる改革を経て、日本の教育政策は国会が立法、制定するといった形に代わり、異なる階層のいかなる人にも平等な義務教育の権利が与えられ、義務教育の期間は九年に延長された。二十世紀五十～六十年代には経済発展の需要に基づき、教育構造の調整が行われた。一九五七年、日本は初めて教育発展計画を国民経済発展計画の中に納入し、科学技術に関する教育の重要性が強調された。その後、日本は引き続き教育計画を発表し続け、その中では後期の中等教育の発展、並びに国民の素質の向上、そして研究院の増設などを主とした理工学が占める比例の上昇などが特に強化された。これらの政策が日本の教育の発展、国民の素質の向上、科学技術の進歩、文化の実力の増強を大いに促進させることとなった。

㈣　社会文明

日本政府が明治維新を行った際に、相応の社会変革を行っていなかったため、日本社会においては目立った大きな発展はあまり見受けられなかった。二十世紀五十〜八十年代には高度経済成長に伴い、日本でも異なる階層の貧富格差の増大、組織帰属意識の低下などといった社会問題が相次いで出現した。二十世紀四十年代末から五十年代初期にかけ、国民の生活の質を上げるべく、日本では社会保障と社会福祉に関わる法律と制度が制定し始められ、一九五八年には「国民健康保険法」（改訂版）が全国で実行された。六十〜七十年代の日本企業は終身雇用制度や年功序列、労働組合などといった独特な経営・雇用方式を採っており、労働者の合法な権利も保証された。また、経済発展の促進と日本政府の努力のもと、日本の中産階級の人数は大きく増加し、以前の高度にアンバランスな階級構造から徐々に平等化された大衆社会へと変貌していき、「移動機会の平等を反映した純粋移動率は一九五五年の〇・五八三から一九八五年の〇・七五〇に上昇した」[1]。そのため、戦後の日本は一連の改革を経て、徐々に繁栄かつ安定した秩序のある社会を形成していった。

（1）富永健一『日本の近代化と社会変動——テュービンゲン講義』、講談社学術文庫、一九九〇年。

(五) 生態文明

日本の工業化の発展に伴い、環境汚染と生態の破壊といった問題が出現し始めることになる。明治維新から第一次世界大戦にかけて、日本は経済効果のみに焦点を当てていたことからいくつかの環境問題が生じた。この頃の日本では採鉱業が発展し、軍事の需要が重工業の発展を促進させたが故に、足尾銅山鉱毒事件などといった環境問題が生じたが、第一次世界大戦の開始から第二次世界大戦の終息にかけての期間は戦時中だったことから、環境問題は無視される傾向にあった。第二次世界大戦終戦直後から二十世紀五十年代末頃の間で既に日本では「公害教育」が始まっていたものの、経済を立ち直らせるために、日本政府は企業の環境汚染を黙認していた。それにより、環境問題は更に深刻化していった。二十世紀六十年代、日本の環境問題は人々の健康的な生活を脅かすレベルにまで達していた。一九六七年に日本政府は公害対策基本法を制定し、全国中小学校公害対策研究会を設立したが[1]、日本政府と社会は「公害」と病気の関係を未だ把握しきれていなかった。そして六十年代に日本では「三大公害」[2]が発生し、七十代には「四大公害」[3]が発生した。この件における原告の勝訴が日本の一般大衆が法的手段

(1) 陳卓「日本環境教育の特徴と啓示」、貴州教育学院学報(自然科学版)、二〇〇七(二)。

(2) 二十世紀六十年代の日本の「三大公害」とは一九六〇年の三重四日市ぜんそく・一九六一年の富山イタイイタイ病・一九六五年の新潟水俣病を指す

(3) 二十世紀七十年代の日本の「四大公害」とは一九六八年の富山イタイイタイ病・一九七一年の新潟水俣病・

を用いて環境の権利を守り取るといった運びとなり、日本の環境法律体制の改善を大きく進歩させせた。これは日本の環境問題の法制化におけるマイルストーンとも言えるだろう。「日本環境白書」によると、日本における環境に関連した訴訟は一九六六年の段階では二万件以下だったものが、一九七〇年には六万件に達していた[1]。二十世紀八十年代から今日に至るまで、日本は環境問題を深刻に捉えており、日本社会は各界が環境と人、自然と社会、環境状況と人の幸福度の関係に対する更なる考慮がなされ、日本の環境管理における欠点を充分に知ることに役立った[2]。

五　韓国――優秀な現代化後発国

韓国はたった三十年といった期間で現代化を実現するという奇跡的な快挙を挙げており、また韓国の現代化の道のりは欧米国家とは大きな区別がある。韓国は新たな現代化の道を切り開いており、西洋の学者からは「第三種の工業文明」と呼ばれている。その内容とは儒教の文化を根本に置いた、東洋的な現代化だった。韓国の現代化を研究することは世界の現代化におい

一九七二年の三重四日市ぜんそく・一九七三年の熊本水俣病を指す。
（1）姜太平「戦後の日本環境政策の変化と試み」、華中理工大学学報（社会科学版）、一九九九（二）。
（2）余氷跌、樊奇「日本の環境管理の経験と教訓　及び有益な啓示」、経済社会体制比較、二〇一八（一）。

て非常に重要な意義があり、中国の現代化の発展に対しても同様に重要な参考価値がある。

㈠　物質文明

韓国経済の現代化も他国の経済の現代化の過程と同様に、工業化を核心においていた。朝鮮戦争後、韓国は経済と工業の破壊や鉱物資源不足などといった問題に直面し、工業化の発展においても非常に難易度の高い挑戦となった。韓国の工業化は二十世紀五十年代に始まり、この時点では主に国内市場の簡易的な消費品の生産で輸入品と代替するといった方法で発展を進めていた。また、この他にも韓国は大量に原材料と半製品を輸入し、既製品の輸入を制限した。しかし、五十年代末には、輸入品代替の戦略は国内市場の飽和といった状況に直面し、生産を拡大することが困難になり、経済の増加率が大幅に下がり、多くの工場が倒産し、失業人口が増加し、インフレが激増した。

六十年代になり、朴正熙の領導のもと、「経済発展第一」といった目標が全国的なものになり、韓国は経済発展を実現するために一丸となって努力した。当時の韓国の実情に基づき、朴正熙政府は輸出品の軽工業の生産を優先的に発展させ、韓国の豊富で安価な労働力を利用し、労働密集型産業へと発展させた。この段階では、韓国の紡績や服装などの産業が迅速に発展したことで、軽工業製品の輸出額も大いに増加し、韓国の工業化は大きく進歩した。軽工業製品の輸出の増加に伴い、資本密集型製品の輸入が増加し、国内の重工業に対するプレッシャーがかかった。一九七三年、韓国は「重化学工業化開発政策宣言」を発布し、鋼鉄や石化、機械などの重工業の重点的な発展が始まり、重工業の発展を促進させた。そして世界範囲における国際産業の転移に伴い、韓国もチャンスを掴み、積極的に発展国から移転した資本密集型工業を受け入れることで、重化学工業の発展を加速させ、工業化の水準を上昇させた。

八十年代になり、朴正熙政権から全斗煥政権へと代わり、一九八二年には着実に経済を発展させる政策が採用された。この頃の韓国は伝統的な機械工業を発展させる一方で、同時に電子や電気、自動車工業なども発展させた。また、資本密集型産業製品が韓国の主要な輸出製品となっていた。

八十年代末期になり、これまでの経済発展が速度を重視し過ぎたことによる質の低下を懸念し、韓国は第六次五カ年計画（一九八七〜一九九一）を初めに、「産業構造を調整し、技術立国を実現する」といった目標を掲げた。「経済の主導が政府から民間企業に代わり、不均衡な発展は均衡な発展に、外延の拡大から国内の発展へ、新技術を開発し、技術知識密集型産業の発展へ、といった経済発展を実現していった」[1]。これにより、韓国の工業化は軽工業から重工業、資本密集型、そして技術知識密集型といった流れで段階的に発展していった。

勿論、工業化の過程には都市化も伴っている。韓国の工業化は都市化の迅速な発展を促進させ、二十世紀六十年代初期から八十年代末にかけ、「一九六〇年には二八・三％だった人口都市

（1）李怡、羅勇「韓国工業化の歴史と啓示」、亜太経済、二〇〇七（一）。

化水準が一九八五年には七四％といった具合で急発展した」[1]。韓国の都市の数は日々増加し、都市の規模も日々拡大していった。韓国政府は長期にわたって「工業、大企業、大都市を主流とした政策」を実施しており、同国の都市化の発展を促し、ソウルを中心とした首都圏並びに都市群・都市帯を徐々に形成していった。

㈡　政治文明

韓国の経済は二十世紀六十〜九十年代の時点で既に大発展を遂げていたものの、民主政治の発展は非常に遅れていた。九十年代以前まではいわゆる独裁政治で、国民の基本権利は保証が得られなかった。こうした統治者による独裁政治といった現状を受けて、韓国の民衆たちは六十年代初頭頃から大規模な公開政治闘争を行うようになった。朴正熙政権による高圧的で厳重な管理のもと、国民の政治闘争は七十年代頃に一度停滞したが、八十年代になりまた新たな高潮を迎えることとなった。このような一般大衆による政治闘争は韓国政治の民主化に大きな影響を与えた。後に大統領候補となった盧泰愚は一九八七年六月二十九日に「六・二九民主化宣言」を発表し、政府と反対派の協商のもと、権威政治体制から新たな民主政治体制へと変わっていった。一九九三年に金泳三が第十四回大統領選挙に当選し、三十二年以来初の民間大統領となった。これは「韓国の軍人政権から民間による民主政権へと代わり、民主政治へ転換した

(1)　李輝、劉春絶「日本と韓国の都市化及び発展模式の分析」、現代日本経済、二〇〇八（四）。

過程である」[1]。一九九七年には金大中が大統領選挙に当選し、韓国民主政治の転換を推進させ、二〇〇四年の「大統領弾劾案風波」の中でも韓国の民主党は野党に対し、民主憲政運行の規則を設けたりするなどし、韓国の民主政治はより強固なものとなっていった。

韓国は現代化の実現において、反腐敗といった面でも多くの努力を積んでいる。二十世紀六十年代初頭に朴正熙が就任した頃は、前任政府が残した深刻な腐敗問題があった。これらの問題を解決すべく、朴正熙は多くの軍隊の将領人物を民間人に変え、腐敗した政府職員の免職・逮捕などを実施し、政積を基準とした審査を行い、公務員の職業訓練と監察制度を強化し、韓国の深刻な腐敗問題をある程度制御することに成功した。経済の発展と韓国の経済が政府主導下だったことが起因となって、六十年代末期には腐敗の風がもう一度吹くこととなった。そして、一九七五年に朴正熙は「庶政一新」と称した大規模な反腐敗キャンペーンを実施し、一定の成果を出し、政治の民主化の発展を促進させた。しかし、当時の韓国は本質上はあくまで政府主導下の市場経済体制だったため、こうした反腐敗対策は問題を抜本的に解決することができなかった。その後の全斗煥、盧泰愚といった二代の政権は反腐敗上で成果を得るどころか、そもそも彼ら自身が腐敗していた。金大中政権では「腐敗防止法（草案）」が発表され、二〇〇一年に「腐敗防止法」が国会で可決された。金大中政権は「国民の政治参与の拡大に力

(1) 張英嬌、楊魯慧「韓国民主政治発展の歴史、特徴と啓示」、現代世界と社会主義、二〇一四（二）。

を入れ、国民協会と市民組織が政府に加わり反腐敗委員会を建立する事を推進した」[1]。こうした努力の下で韓国の反腐敗はようやく改善され、現代化が進んでいった。その後も韓国政府は引き続き一連の政策を通して政府の清廉さを保証している。

㈢　精神文明

二十世紀六十年代の韓国経済の急速な発展に伴い、国民の社会道徳にまつわる問題が徐々に目立つようになった。これを機に韓国は経済・社会発展の需要に適応すべく、国民の道徳教育問題を国家の総合発展計画に取り入れ、道徳教育の発展を推し進めた。一九六八年に、韓国教育省は「国民教育憲法」を制定し、教育の目的が確定され、国民の道徳教育における重要な指導作用となった。二十世紀六十〜七十年代の経済の更なる発展に伴い、人材に対する需要が上がり、社会が裕福になったことから低俗で風紀を乱すような事象が横行したことにより、韓国政府は「国民論理」課程を開設し、国民の道徳的教育に力を入れた。八十年代に入り、経済の安定した発展と民主政治の発展のもと、韓国政府は民族文化遺産及び課程改革により国民の民族的精神を強化した。また、一新された国民道徳教育課程改革の進行による民主政治と国民教育を行い、国民の道徳と国民の素質を大幅に向上させた。

教育水準においては、二十世紀六十年代当時の基礎教育領域に存在した盲目的な進学率の追

（1）任勇「韓国反腐敗の過程と経験」、国際利益情報、二〇〇七（四）。

求や学生の課業過多などといった問題を解決すべく、一九六八年には中学校、一九七四年には高校の入学試験制度を取りやめ、一九七四年より「平準化教育」改革を実施した。この改革は、地区による教育の差を減らすのに役立っただけでなく、高校教育の質の向上や職業教育の発展にも役立ち、韓国の教育水準を大幅に上昇させた。その後、韓国の教育が研究実用主義問題を重視し過ぎたがため、人間性の教育に欠けていたことを懸念し、一九九五年の韓国大統領教育改革委員会が、学生ひとりひとりの個性を尊重するなどといった「新教育体制を建立する教育改革法案」を制定した。この改革は韓国の学生の総合的な素質の向上と全面的な持続可能な発展をもたらし、韓国の教育発展を促進させた。

㈣　社会文明

経済発展と同時に、韓国の社会福祉制度も徐々に建立され、発展を見せた。一九六二年に韓国は公務員年金制度の実施を開始し、一九六三年には軍人年金と労災保険を設け、一九七七年にはこれらを強制保険項目と定めた。また一九七三年の「国民福利年金法案」は朴正熙政権期間では実施されなかったものの、その後の国家の福祉体制の基礎となった。二十世紀八十年代の韓国は「生活保障方案改訂案」、「最低賃金方案」、「社会福祉と社会サービス資金方案」などを通じて社会サービス体制を整え、国民の基本的な福利を保障した。九十年代には引き続き「社会保障基本法」、「就業保険法」などを実施し、比較的良好な社会福祉保障制度を実現させた。これらの社会福祉制度の建立と整備は、韓国の社会の安定と治安の維持、社会問題の解決に大いに役立った。

二十世紀九十年代後期より、韓国の各業界の所得格差が増幅し始めた。「所得が最も低い二〇%の人々と所得が最も高い二〇%の人々間における所得格差は、一九九六年には四・七四倍だったものが、二〇〇〇年には六・七五倍になり、二〇〇四年には七・七五倍まで拡大され、二〇〇八年には八・四一倍になっていた」[1]。収入格差の拡大といった問題に対し、韓国は国民基礎生活保障制度、基礎年金制度、労働省令税制などといった主要な所得保障制度の改善に努めた。この他にも、韓国政府は財政支出政策の調整、中産階級の拡大、就業制度の改革などを行い、こうした就業に関する法律が平等な就職の機会を作り、社会の貧富格差を縮小させることに成功した。

また、一九六〇年から二〇〇〇年にかけて、韓国の平均寿命は二三・一歳も伸び、世界で最も高齢化の速度が速い国家となった。こうした高齢化問題に対し、韓国政府は高齢者の所得保障、高齢者保健・医療サービス・長期看護などの問題に対し多額の財政資金を投入し、また高齢者の保障制度(所得保障制度、医療保障制度、居住保障制度、福祉サービスなど)を設け、高齢者の基本生活を保障し、秩序のある安定した社会を築きあげた。

(1) 崔長集『民主化以降の民主主義』、ソウル、Humanities 出版社、二〇一〇年。

(五)　生態文明

韓国も経済発展をしていく上で、いくつかの環境問題を抱えることとなった。二十世紀六十年代、朴正熙政権が経済の発展のみを重視し、生態環境の保護及び環境保全に関連した策略を怠ったため、深刻な環境汚染と環境破壊が発生した。二十世紀八十年代になり、環境汚染の深刻化が人々の生活の質を脅かす存在となり、民衆の環境意識もそれに伴い高まっていった。また、当時は民主化運動の最高潮の時期だったため、大衆の権利保護に対する意識も高まっており、政府との闘争が繰り広げられた。そして数多くの民間環境保護団体が現れ、環境問題が社会の焦点となった。

こうした民衆の努力のもと、ようやく政府は環境問題を重視し、一連の政策を制定した。政府は憲法の中で環境の権利を保障するだけでなく、環境保護法を制定し、中央政府管轄の環境庁も立ち上げた[1]。しかし、九十年代になっても、韓国政府は経済を発展させることに重点を置き、重工業を発展させたことにより、深刻な環境汚染事件が発生し、民衆の環境保護意識が更に高まることとなった。この頃の韓国では、多くの社会環境に関した民間組織が現れ、これらの民間組織は政府と大学研究所による合作の環境保護プロジェクトに参加し、自身の社会影響力を高めていった。それと同時に韓国政府も環境民間組織との協力に力を入れ始め、環境関連

(1)　常健、李志行「韓国の環境衝突史の発展を衝突管理体制の研究」、南開学報（哲学社会科学版）、二〇一六（一）。

の政策に関しても民間組織の意見とアドバイスを取り入れるようになった。[1]このように、法律法規の改善と、民間組織の闘争などが韓国の環境問題を解決させ、環境面における現代化を進めたのだった。

（1）常健、李志行「韓国の環境衝突史の発展を衝突管理体制の研究」、南開学報（哲学社会科学版）、二〇一六（一）。

第二節　先進国の現代化プロセスの規則と特性

一　現代化プロセスの一般規則

現代化プロセスは主に十八世紀初頭から発展し始め、二十世紀〜二十一世紀に盛行しており、数多くの国々が自主的にあるいは他動的に現代化の波に乗り、それを発展目標としていることが分かる。また、現代化の過程では、先発国は自身の経済力の累積を用いて現代化を進め、他の国の現代化の実現を手助けしている。地球範囲で見ると、「現代化は人類発展の国際マラソンのようで、前を走る国家が先進国となり、後ろを走る国が発展途上国となる。先進国がペースや順位を落とすこともあれば、発展途上国が追いつくこともあり、ポジションの移り変わりには一定の規則性がある」[1]。各国の国情はそれぞれ違い、現代化の道のりとモデルにもそれぞれの特徴があるが、現代化の道のりの共通性と一般規則は非常に研究価値がある。

（1）何伝啓「現代化強国建設の道のりと模式の分析」、中国科学院院刊、二〇一八（三）。

(一)　産業構造の移動はペティ＝クラークの法則に則る

産業構造の理論において、ウィリアム・ペティとコーリン・クラークが研究及び発表した「ペティ＝クラークの法則」が経済発展における三大産業の占める額の変化傾向を表している。基本的な内容は以下のとおりだ。経済の発展と一人当たりの国民所得レベルの上昇に伴い、第一次産業の国民所得と労働力の比率が徐々に低下し、その代わりに第二次産業の国民所得と労働力の比率が上昇し、経済が更に発展した際に、第三次産業の国民所得と労働力の比率が上昇を始めるといったものだ。

既に現代化を終えた国家の現代化の歩みを見ると、国の経済構造の変化にはいくつかの典型的な規則性があることが分かる。関連データを整理して見ると（図3—1を参照）、先進国の経済発展の過程における構造の変化には以下の規則性がある。①就業構造と産業構造の変化の順序から見ると、第三次産業の就業率と付加価値の比率の変化は基本的に同調・一致している。②産業比率の変化の軌跡を辿ると、第三次産業のみ明確に違うことが分かる。農業の就業と付加価値の比率は一人当たりGDPの上昇に伴い下降し、工業部門の就業と付加価値の比率は一人当たりGDPの上昇に伴い一度上昇してから下降し、「逆U字形」の軌跡となる。サービス業の就業と付加価値の比率は一人当たりGDPの上昇に伴い上昇する。③第三次産業の連動的な変化から見ると、経済構造の変化は二つの段階に分かれていることが明確だ。第一段階では労働力が農業から工業とサービス業へと移り変わり、産業の進歩は工業化が核心となる。そし

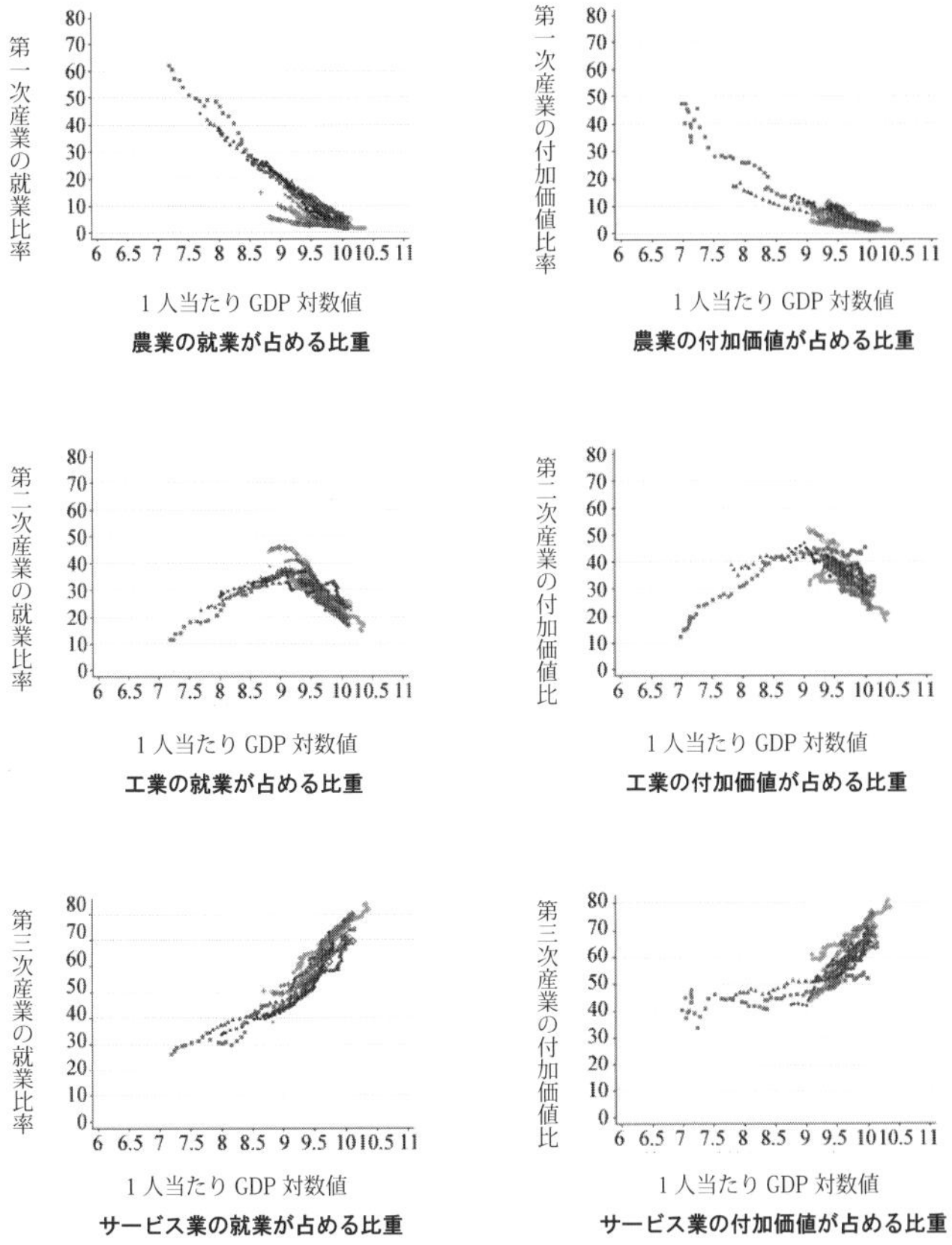

図 3-1　　現代化国家の雇用構造と産業構造の変化経路

説明：データに含まれる国家はアメリカ・イギリス・フランス・オランダ・スウェーデン・デンマーク・ノルウェー・ベルギー・カナダ。

横軸は 1 人当たり GDP 対数値、単位は 1990 年 GK ドル。

出典：Madisson Project Database, EU KLEMS.

て第二段階では工業がピークまで発展した際に、労働力が工業からサービス業へと移り変わり、産業の進歩はサービス業の主導と持続的な拡張といった特徴を持つようになる。④産業構造が進化する段階転換の発展条件から見ると、先進国の産業構造が進化する段階転換は、工業化が十分に発展した後に行われている。これを象徴しているのが、先進国の工業の就業と付加価値の比率がピークに達した際には、既に高所得収入経済国となっているという点で、一人当たりGDPは平均おおよそ二万GKドルに達し、また農業の就業と付加価値の比率はおおよそ五％まで下がり、農業とサービス業の労働生産性と工業の労働生産性の差が小さくなり、三大産業の労働生産性の比率は約一・二％／一・一％／〇・九％となっている。

ここで特別なのは、まだ現代化を実現していない国にとって、経済構造の変化を第一段階から第二段階に切り替え、尚且つ持続的で平穏な経済の成長を継続させるということは、充分な工業化の発展といった基礎が必須になってくるということだ。また、異なる産業間における労働力の転職のコストが高いため[1]、一度労働力がローエンドなサービス業へ流れてしまうと、しばらく労働力の移動が難しくなってしまい、工業の発展と産業のアップグレードにおける労働力の支えが足りなくなってしまい、現代化を妨げることとなってしまう。

（1） Lee D, Wolpin K I. Intersectoral Labor Mobility and the Growth of the Service Sector. Econometrica, 2006, 74 (1).

(二) 生産・投資による駆動からイノベーションによる駆動への転換

習近平総書記は中国科学院第十七回院士大会および中国工程院十二回院士大会での演説で、「生産要素・投資規模による成長からイノベーションによる成長への転換を推し進める必要がある」と述べている。(1) 科学技術の革命は現代化の核心的な原動力だ。現在、既に現代化を終えた国々はまず経済における現代化を実現し、政治・文化・社会・生態もそれに連れて発展させ、徐々に伝統的な社会から現代化した社会へと転換している。また生産力といった範囲において、技術の革命は現代化の基礎であり、各国は正にこうした適切なチャンスを掴み、科学技術の革命を起こし、生産力を迅速に発展させ、自国の工業化を進め、工業化と現代化を実現させた。そして、イノベーションは現代化の源であり、原動力でもある。「知識の革新と制度の革新の融合が新しい科学技術を産み、新しい科学技術が技術の革新による新製品と新産業を世に出し、新産業が新経済を作り、新経済が新社会をもたらし、新社会が新しい現代化を実現させる」(2)。また、工業化とグローバル化の発展に伴い、多くの国家が国際分業といった世界経済体系に参与するようになり、現代化国家が世界経済体系の中心となり、ここでは低級な製品を生産している国家は世界経済体系の末端に所在することとなり、最終的に新しい世界体系の構造が形成

(1) 習近平「中国科学院第十七回院士大会および中国工程院十二回院士大会での演説」、人民網、二〇一四年六月十日。
(2) 何伝啓「現代化強国建設の道のりと模式の分析」、中国科学院院刊、二〇一八年(三)。

される。

経済の発展に伴ったサービス業の拡張は必然的な傾向だが、すべてのサービス業が工業化のピーク期以降に必ずしも高速で成長するとは限られておらず、あくまで革新水準の代表である技術密集型サービス業（例えば、金融、保険、教育、科学研究など）のみがより快速に成長する（図3―2を参照）。ブエラとカボスキは、アメリカ経済が一九五〇年から現在の形に至るまで、サービス業の付加価値が占める比率が六〇％から八〇％といった二〇％に及ぶ増加を見せており、その中でも技術密集型サービス業のシェアは二五％も上昇しており、逆に低レベルな技術サービス業のシェアは下降しているといった事象を発見した[1]。彼らの技術密集型サービス業に対する定義は、その業界の雇用労働力の平均教育水準に基づき判断している。東アジア国家・地区にも似たような経歴がある。日本、韓国、中国台湾などの国家・地区においても人力資本の使用が多い「金融、保険、不動産、商業サービス」付加価値シェアも雇用シェアも工業化のピーク以降、引き続き上昇しているが、人力資本の使用が少ない「貿易、飲食、ホテル」および「輸送、倉庫、交通」の付加価値シェアは産業ピーク後も横ばいか減少したことが分かる。

故に、科学技術の革命が各国と世界の現代化をより深化発展させるというのが根本であると

（1） Buera F J, Kaboski J P, Scale and the Origins og Structual Change, Journal of Economic Theory, 2012, pp. 684-712.

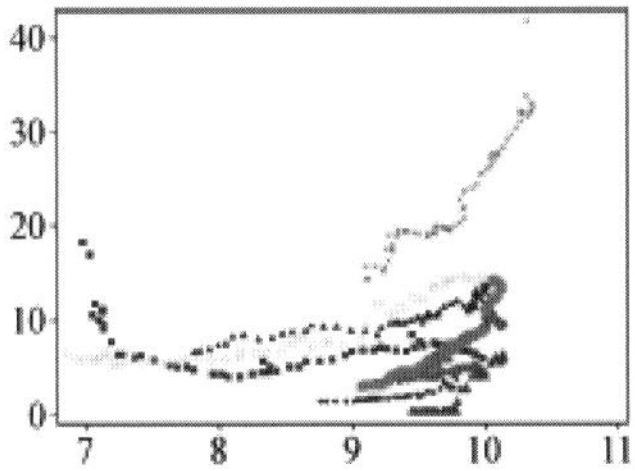

付加価値：金融、保険、不動産、商業サービス

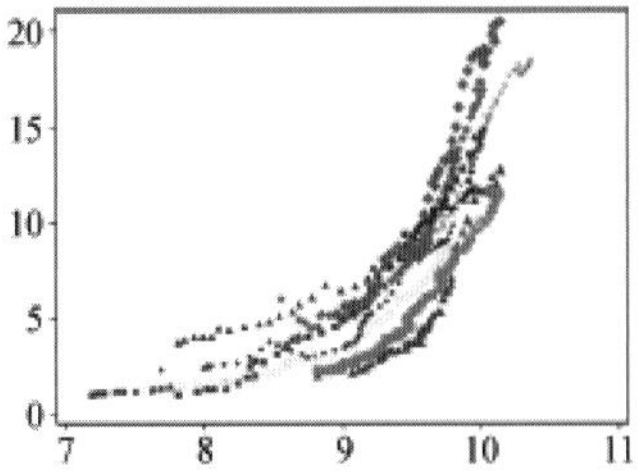

就業：金融、保険、不動産、商業サービス

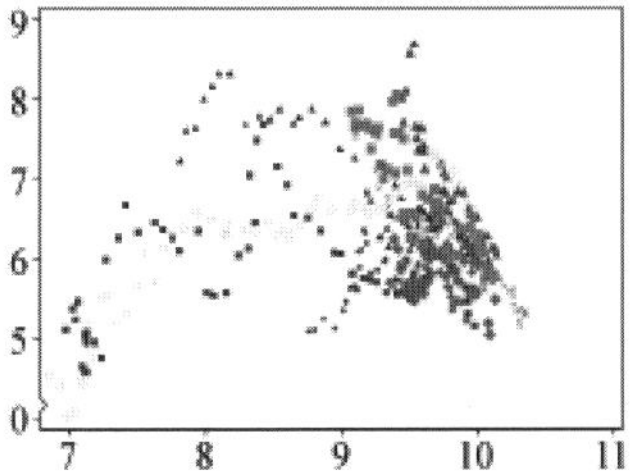

付加価値：貿易、飲食、ホテル

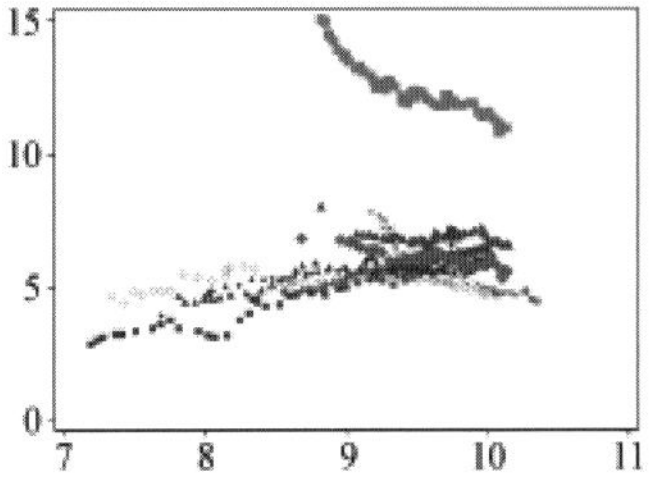

就業：貿易、飲食、ホテル

図 3-2　主要先進国の高、低人力資本サービス業のシェアの変化

説明 : 図の横軸は 1 人当たり GDP の対数値 (Maddison)、縦軸は細分したサービス業の占める比率 (増加値÷ GDP・就業÷総就業)。国は日本、韓国、アメリカ、イギリス、ドイツ、フランス、ベルギー、イタリア、スペイン、フィンランド、スウェーデン、オランダを含む。

出典 : ゲッティンゲン大学 GGDC 10 部門のデータバンク

言えるだろう。また教育も現代化における重要な原動力であり、先進国の現代化の歩みを観察すると、どの国も教育を重視し、経済社会発展に適応した人材を育て、さらに科学技術の発展と文化の発展を促進させ、経済の現代化と文化の繁栄を促したことが明確に分かる。

㈢　市場が資源配置において決定的な役割を発揮する

現代化の過程では、社会化の大規模生産が進むにつれて、資源配分方式において市場経済が伝統的な自然経済に取って代わるようになった。習近平総書記が第十八期中共中央政治局第十五回全体学習の際に、「市場が資源配分において決定的な役割を果たし、よりよい政府の役割を果たすことは、重要な理論命題であると同時に実践命題でもある。この命題を科学的に認識し、その内包を正確に把握することは、改革を全面的に深化させ、社会主義市場経済の健全で秩序のある発展に対して非常に重要な意義を持つ。市場の役割と政府の役割の問題では、弁証法的、二点論的に、〝見えない手〟と〝見える手〟をうまく活用し、市場の役割と政府の役割が有機的に統一され、相互補完、相互調整、相互促進の構図を形成し、経済と社会の持続的で健全な発展を推進しなければならない」[1]と強調している。この中で、「見えない手」が指すのは市場のことだ。市場は科学技術の転化、経済発展と体制の変革、観念の更新を駆動する原

（1）　習近平「第十八期中共中央政治局第十五回全体学習　正確に市場作用と政府作用を発揮することが経済の持続的な発展をもたらす」、人民日報、二〇一四年五月二十八日。

動力だ。完璧な市場システムは、労働力や資金などを合理的に配置させるだけでなく、「市場の圧力が企業の社会競争意識と創新意識を強化させるといった役割を持つ」[1]。先進国の現代化プロセスによると、先進資本主義生産の作動システムは主に市場によって形成された自己調整システムであり、その現代化は本質的に市場メカニズムが働く自然的な歴史過程だ。一方、後発国にとっては、経済発展と現代化全体が国家と政府によって推進される人為的なプロセスだが、「後発国の国家官僚化傾向が現代化に対して重大な危害を与える」[2]というのもまた事実だ。

先進国の歴史的な経験から見ると（図3—3を参照）、一人当たりの所得の増加に伴い、付加価値であれ、就業であれ、コミュニティーサービス、社会とプライベートのサービスが占める比率はすべて大幅に上昇していることが分かる。これは、社会活動に参与する主体が市場化した主体へと転換し、各種非政府組織がより大きな役割を発揮しているということの表れだ。

㈣　経済の現代化は政治の現代化より先である

物質的基盤が上部構造を決定するといったマルクスの名言がある。物質資料の生産も人類の第一生産であり、物質の需要は人々の第一需要でもある。「衣食足りて礼節を知る」といった言葉があるが、これも物質文明が精神文明に対し決定的な作用があるといった現象の表れだ。

（1）　隋秀英「世界現代化の歩みの特徴と啓示」、理論と現代化、二〇〇五（三）。
（2）　郝永平「現代化規律の初探」、江淮フォーラム、二〇〇〇（五）。

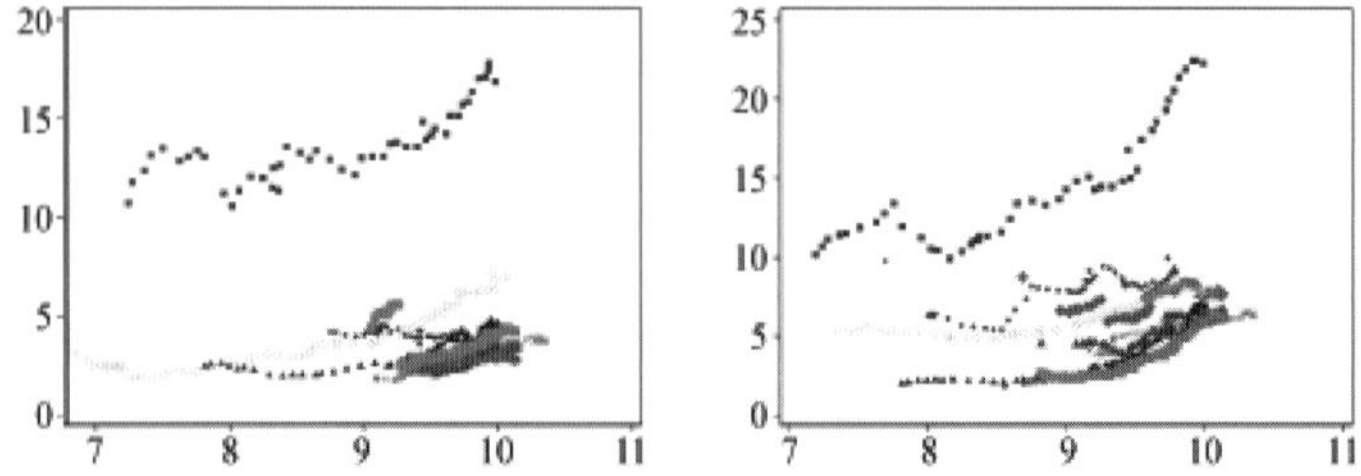

付加価値：コミュニティ、社会、プライベートサービス　　就業：コミュニティ、社会、プライベートサービス

図 3-3　主要先進国におけるコミュニティ、社会、プライベートのサービスシェアの変化（付加価値、雇用）

説明：横軸は 1 人当たり GDP の対数値。縦軸は各サービス業の比率（付加価値 / GDP、雇用 / 総雇用）、国家は日本、韓国、アメリカ、イギリス、ドイツ、フランス、イタリア、スペイン、フィンランド、スウェーデン、オランダを含む。

出典：ゲッティンゲン大学 GGDC10 部門データベース。

先進国が辿った歴史の経験からもこうした現象を証明することができる。例えば、アメリカ経済の現代化はイギリス産業革命の影響を受け、比較的早期に始まっており、一七九〇年のアメリカ初の水力紡績工場を皮切りに、アメリカは工業革命と工業化の道を歩むこととなっている。そしてその後、高圧蒸気エンジンの発明が運送や紡績などの発展を大幅に促進させた。一八六〇年のアメリカ北部では、既に主な工業部門が整っており、これは北部の工業革命の基本的な完成を象徴している。この影響を受け、南部も戦後の復活後、すなわち十九世紀七十年代に工業化を終えた。

相対的に見ると、アメリカ民衆の精神文明の歩みはやや遅いものだった。例えば、アメリカが実質上の公民教育体制を実現させたのは一九一六年であり、それを象徴するものは「社会科」といった授業を設けるといった取り組みだ。また、「独立、平等、自由」を核心的な価値観としたアメリカだったたが、有色人種と白人間における交通、教育、医療、婚姻などを隔てていた人種隔離制度が撤廃されたのは、実に一九六四年のことだった。

物質文明が精神文明を決定するという現象だけでなく、精神文明とは物質文明が一定段階まで達した後の必然的な要求であり、物質文明のよりよい発展を促進させるといったことを認識しておくべきだろう。一つの国にとって、奮闘目標を実現するということは、物質面を豊かにするだけでなく、精神面も豊かにしていく必要がある。これに対し、習近平総書記は「ビル群が我が国の大地に立ち並べば、中華民族の精神のビルも堂々と立ち並ぶだろう」[1]と比喩している。

㈤　人口の流動は「都市化」から「逆都市化」へ転換することがある

都市化レベルの上昇は経済の現代化を表す重要な目安だが、経済水準が一定レベルに達した後、一部の先進国では「逆都市化」といった傾向が出現することがある。「逆都市化」とは、都市発展が一定段階まで進んだことにより、都心部の生存空間が減り、交通渋滞が深刻化し、

（1）　習近平「社会主義核心価値観を通し、社会主義文化強国の建設に注目する」、人民網、二〇一六年五月五日。

地価が上昇し、教育や医療などの公共サービスが行き届かないなどといった「大都市病」により都心部の住民が都心を離れ、郊外や農村地区などへ移住し始め、人口や産業の空洞化が現れることだ。「逆都市化」は人々の「大都市病」への不満、そして先進国における交通の利便性などによって引き起こされる。

例えば、アメリカでは、十八世紀末の都市化の初期段階から二十世紀末の「逆都市化」の出現には約二世紀以上の時間がかかっている(1)。初期の「逆都市化」は主に富裕層が田園都市思想の影響を受け、郊外へ移住するといったものだったが、後半世紀では自家用車の迅速な普及と公共交通機関の快速な発展に伴い、都市発展の傾向が放射状になった。第二次世界大戦後、市街地の地価の高騰を機に、アメリカ政府は合理的に土地を分けるため、郊外の住宅に支援金を出し、中産階層および低所得階層の人々が郊外で家を買えるよう仕向けた。二十世紀末になり、アメリカの「逆都市化」は更に深化し、最初はあくまで都市の端だった郊外地区がれっきとした都市機能を持った就業センターとなった。

中国の状況と似た例として、日本も「逆都市化」といった過程を辿っている。近代の日本の臨海都市は二十世紀二十年代に形成され、その核心は四大工業地帯だった。高度経済成長期に突入し、多くの労働力が東京や大阪などといった大都市に流れ、二十世紀七十年代の日本の都

(1) 孟祥林、張悦想、申淑芳「都市化発展における『逆都市化』の勢いと経済学分析」、経済経緯、二〇〇四(一)。

市化率は既に七五％を越していた。その後、「大都市病」が見受けられるようになり、人口の混雑や交通の不便などといった要素が大都市からの拡散をもたらした。九十年代後、地価の上昇により、都心部の住民と企業が周囲の郊外へと移り始め、新都市が作られ、都市群が形成されていった。

これと似た状況はイギリスやドイツ、フランスなどの先進国でも発生している。具体的な時期などは個別で違うが、どの国でもまずは経済の発展に伴い、集積の経済により人口が大都市に集中し、その後「大都市病」（交通渋滞、人口混雑、公共サービスの不足、地価の高騰など）が深刻化し、人々は生活の質を求め、「大都市病」に抵抗を持つようになり、充実した基礎設備と周囲の交通の利便性が魅力となり、人口が郊外へ流動するといった流れは類似している。

(六)　普遍的に人口は高齢化問題に直面する

高齢化は、現代化を終えた多くの国家が共通で抱える問題だ。六十歳以上の高齢人口が総人口の一〇％以上を占めると、高齢化社会になるということが国際的に認められている。一部の先進国は、二十世紀半ば頃の段階で既に高齢化社会に突入している。例えば、世界一の高齢化国家であるフランス、「高齢者王国」のスウェーデン、「長寿王国」の日本やスペイン、ドイツなどだ。図3—4はいくつかの主要先進国の高齢者扶養比率[1]と一人当たりＧＤＰ（対数）の関係

（1）　高齢者扶養比とは、非労働年齢の人口における高齢者が労働年齢の人口数を占める比率のことである。

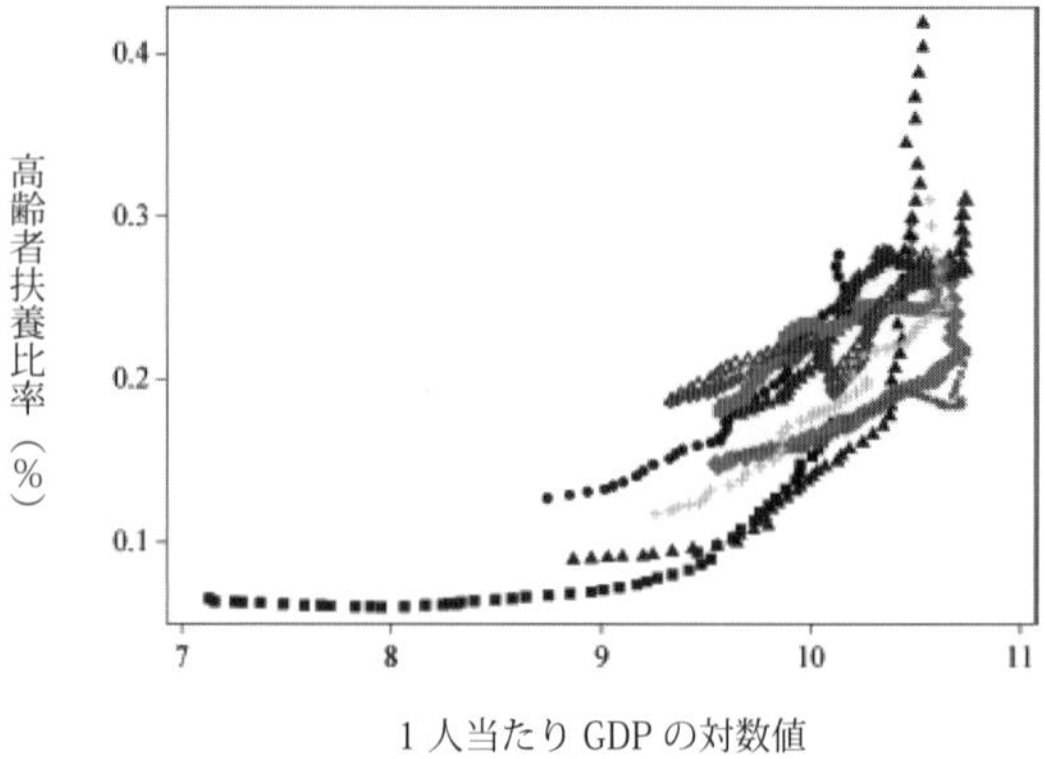

図 3-4　主要先進国の高齢者扶養比率と１人当たりＧＤＰ（対数）

説明：図の横軸は 1 人当たり GDP の対数値 (Maddison)、縦軸は高齢者扶養比。国は日本・韓国・アメリカ・イギリス・ドイツ・フランス・ベルギー・イタリア・スペイン・フィンランド・スウェーデン・オランダを含む。

出典：世界銀行 WDI データバンク

だ。これらの国家の高齢者扶養比率は、どれも持続的に上昇していることが明らかだ。

こうした先進国の高齢化問題が発生する原因は多種多様だが、主に①先進国の医療水準は高く、人々の健康意識が強いため、平均寿命が高いこと、②先進国の福祉体制が整っているため、「老後の世話のために子供を産む」といった現象が存在しないこと、③生活水準の向上に伴い、女性の子育てに対する意欲の低下といった原因が考えられる。こうした要素によって引き起こされた高齢化は、一国における現代化後の重大な挑戦となる。高齢化によってもたらされる影響も様々であり、例えば労働力の不足や社会保障体制の圧力の増加、若者の社会負担・扶養負担・就職難などといった問題が生ずる。

(七)　所得の分配を表すクズネッツ曲線

クズネッツ曲線（kuznets curve）は、逆Uカーブとも呼ばれ、一九五五年にアメリカの経済学者サイモン・スミス・クズネッツによって提唱された。最初は主に経済発展に伴い変化する所得分配の状況を表すのに用いられたが、後に環境や地域経済など多くの領域でも用いられるようになった。クズネッツの当初の見解は、経済体制は主に伝統農業部門と現代非農業部門といった二つの部門に分かれるといったもので、こうした考え方はルイスの「二重構造」とも相似している。経済の発展に伴い、経済構造が変化していくうえで、所得分配の差はまず悪化し、後に改善するといった流れを辿ることとなる。クズネッツは「不平等な所得分配が長期的に続くといった傾向は、工業文明による経済成長の早期段階に迅速に拡大し、その後一度安定し、成長後に徐々に縮小されると仮定することができる」と述べていた[1]。

所得分配を表すクズネッツ曲線は、二つの緯度から解読することができる。一つ目は、発展途上国の所得分配が先進国よりも平等であるという点だ。そして二つ目は時間序列の緯度だ。すなわち、同じ国家における所得分配の差が経済成長後に徐々に縮まっていくといった現象だ。

（1）Kuznets, S, Economic Growth and Income Inequality. American Economic Review 1955(45).

この仮説が提唱された後、アルワリア[1]やカンパーノ、サルヴァトーレ[2]など、多くの国際的な実証研究が次々と裏付けている。

しかし、ここで知っておかなければならないのが、クズネッツ曲線の変曲点の出現は必ずしも必然的ではないということだ。これはルイスの変曲点の出現や政府が所得分配の差を縮めるために行った政策の力などと強く関連している。[3]アメリカを例にすると、ノーベル経済学賞の受賞者であるポール・クルーグマンは、アメリカ民主党・共和党が交互に政権を握った歴史を顧みると、所得分配に対する両党の態度の違いが、アメリカ社会の所得分配の結果を大きく変えることを発見した。同じくノーベル経済学賞の受賞者であるジョセフ・ユージン・スティグリッツも、アメリカの一%の最も裕福な人々が全国の四分の一の所得と四〇%の財産を持っており、またこうした現象は日々拡大している傾向にあると指摘している。かつて、話題を呼んだトマ・ピケティの著書『二十一世紀の資本』は、資本蓄積の長期的な動態とそれに伴う所得格差の拡大傾向をまとめているが、これもまた、成長後の所得分配格差が必ずしも低下するわ

（1） Ahluwalia M S, Carter N G, Chenery H B, Growth and Poverty in Developing Countries, Journal of Development Economics, 1979(6).

（2） Campano, F, Salvatore, D. Economic Development, Income Inequality and Kuznet‐s U-shaped Hypothesis, Journal of Policy Modeling, 1988(10).

（3） 蔡昉「二元経済を発展形成の過程として」、経済研究、二〇一五（七）。

けではないことを改めて示している。

(八)　生態環境にもクズネッツ曲線が現れる

所得分配を表すクズネッツ曲線と同様に、生態環境のクズネッツ曲線とは、汚染物の排出レベルと一人当たり所得の間に逆U字形の曲線関係が現れることを指し、この曲線は一般的に「環境クズネッツ曲線」と呼ばれる。この仮説は二十世紀九十年代に提案されて間もなく、学界・政界の注目を浴びた。後の多くの実証研究により、いくつかの支持的な結論が得られたが、異なる汚染物質に対する結論は多少なり違うものだった。例えば、ジーン・グロスマンとアラン・クルーガーは国際的なパネルデータを分析し、色々な国における大気浮遊物および二酸化硫黄の排出量と一人当たり所得の関係を研究し、確かにU字形の曲線があるということを発見した。更に、この曲線の変曲点は一般的に八千米ドル前後の一人当たり所得といった辺りに出現することも結論づけた。多くの研究によると、空気と水質汚染の排出量は一人当たり所得が五千〜八千米ドルの辺りから上昇し始め、人々の環境の質に対する要求の上昇、ならびに環境汚染の負の効果が相次いで見受けられるようになり、一度上がった汚染排出量は元に戻る。現代化を実現した国家では、こうした案例が多く見受けられる。例えば、ベルギーで一九三〇年に発生したミューズ渓谷事件、アメリカで一九四〇年に発生したロサンゼルス光化学スモッグ事件、一九五〇年に日本で発生した水俣事件、ロンドンで一九五二年に発生したスモッグ事件などの世界的に深刻な環境事件はどれも、二十世紀三十〜六十年代に集中しており、こうした事件が民衆と政府の環境保全意識を啓発させ、後の汚染排出と平均所得間の関係をもたらした。[1]

しかし、汚染排出と平均所得の間のクズネッツ曲線もまた必然的なものではない。何故なら、経済の成長自体には環境汚染問題を自動的に解決する能力がなく、あくまで民衆、政府、社会組織による尽力の下で成り立つからだ。こうした点は、現代化を実現しようと努力している国家にとって非常に重要な啓発となる。多くの研究によると、都市のごみ、騒音、有毒物質だけでなく温室効果ガスなどは、U字型の特性を持たず、一人当たり所得の増加と共に上昇する傾向がある。また、大気汚染物質の一つである二酸化硫黄と平均所得の関係は更に複雑な可能性があり、臨界値を超えた継続的な上昇を除き、N字型の曲線が出現することも有り得る。これらの現象から分かるように、環境クズネッツ曲線は概ね成立するが、個別の汚染排出物においては必ずしも成立するとは限らない。また、もし民衆、政府、社会組織による協力が無い場合、環境の改善は自発的に発生することはない。

二　現代化の道のりの特性

前文で解説した共通性だけでなく、各国の現代化の道のりには、その国それぞれの国情が反映されることも確実だ。イギリス、アメリカ、ドイツ、日本、韓国の現代化の道のりを観察す

(1) 趙細康、李建民、王金営、周春旗「中国における環境クズネッツ曲線」、南開経済研究、二〇〇五(三)。

ると、この五つの国家が歩んだ現代化の道はどれも違ったもので、それぞれ参考価値があるが、どの国の歩みも国情と密接した関係にあったことは共通だ。

全体的に見ると、イギリスは内因型の現代化で、現代化を実現する動力源は自国であり、その累積の結果がイギリスの現代化だった。内因型の現代化は道のりが比較的長く、発展も比較的遅い。アメリカ、ドイツ、日本は他国の現代化を学習した基礎の上で現代化を進行させていったため、発展スピードが比較的速く、道のりも短い。そして韓国は他人の経験を吸収しつつ、独特な現代化の道を歩んだ。

より具体的に解説すると、イギリスは重商主義の影響のもと、経済力を増強させ、最終的には経済力の累積により資産階級政権を確立させ、産業革命を展開させ、徐々に現代化を実現させた。アメリカはイギリスを学んだ上で、自国の国情に合わせたイノベーションを行い、三権分立した連邦共和制を実施した。これによって政府が率先して経済を関与するなどし、現代化を大いに促進させた。ドイツの現代化の道のりはプロイセンの現代化への道であり、ユンカー貴族の領導の下で工業化を進行した。日本の現代化は自国の国情に基づき、他国の経験を研究して行われた。日本の工業化は一種の圧縮型の発展であり、二十世紀五十〜八十年代には基本的な現代化が完成しており、その速度はとても速いものだった。しかしこれによって、社会問題が発生するといった弊害もあった。韓国は儒教文化を基礎とし、欧米の学者に「第三種の工業革命」と名付けられた、東洋式の現代化の道を切り開いた。

第四章　中国現代化の歴史的過程と重要なステージ

第一節　中国現代化の歩み（二〇一四～二〇一六年）

中華人民共和国成立後の発展の歩みを見ると、「中華民族の偉大な復興」は常に中国を引っ張る大きな奮闘目標であり、十三億人の中国人民共通の夢であり、中国共産党の理論と実践における偉大な創造でもある。中国共産党第十八回全国代表大会以来、中国共産党の理論と実践は全て、中華民族の偉大な復興の実現と社会主義現代強国の建設といった目標を中心に展開されている[1]。

第二章で提起した現代化国家をはかる指標システムは、五大文明（物質の文明、政治文明、精神文明、社会文明、生態文明）を一級レベル指標としている。そして第三章では五大文明の視角からアメリカ、イギリス、ドイツ、日本、韓国の現代化の歩みと規則性を分析した。本章では、五大文明の視角から今までの中国現代化への道のりと栄光を振り返り、更にそこから今後のチャンスと挑戦を分析していく。

（1）　習近平「青年は自覚的に社会主義核心価値観を実践していこう」、新華網、二〇一八年五月四日。

一　物質文明――後れた生産力から小康社会へ

物質文明は一国の現代化における経済的基礎だ。全面的に物質文明の進展を反映させるべく、我々が独自に設計した現代化指標システム（表2―8を参照）に基づき、五つの方面（二級レベル指標）に分類した。五つの方面とは、①経済力、②国際的開放度、③科学技術の実力、④生活の水準、⑤軍事の実力。表2―8の指標システムに基づき、我々はそれぞれの二級レベル指標に均等な重み係数を割り当て、そこから三級レベル指標を元に各一級レベル指標のスコアを算出する。そして、スコアが最高点の国（或いは地域）を基準に、満点を一〇〇点とし、各国の毎年の最高点の国家との距離を算出する。

図4―1と図4―2ではいくつかの主要国家（中国、日本、韓国、アメリカ、イギリス、ドイツ、フランス）の物質文明の歩みを表している。図から分かるように、中国の物質文明の順位は二十世紀九十年代以降大幅に上昇しており、これは中国経済の量・質の向上そして経済力の増加に伴う科学技術・民生・軍事力の増強と大いに関係がある。

具体的に説明すると、経済力とは一国のGDP、一人当たりGDP、三大産業の占める比率（付加価値、就業）によって測られる。一国のGDPは完全にその国の人々の生活水準を表すものではないが、その国の国際規則の制定、価格の決定、国際事務における発言権などに影響する。GDP（二〇一〇年の不変米ドルを単位とする）の視角から見ると、二十世紀六十年代初頭の

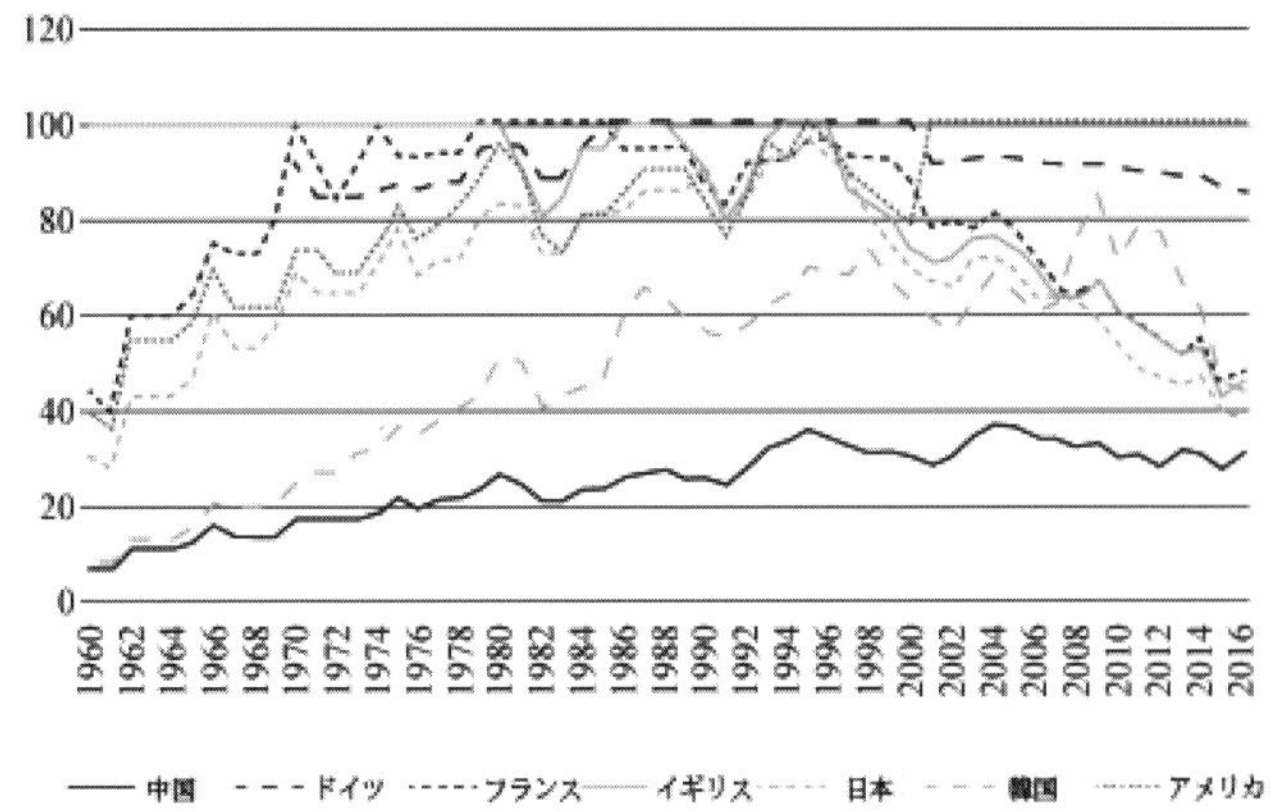

図 4-1　　主要国家の物質文明の点数

説明 : 当時物質文明の総合点が最高点だった国を基準に 100 点とする

中国のＧＤＰは約一千億ドルであり、世界ランキングではおおよそ二十位前後だった。その後の中国経済は迅速に発展し、二〇一六年のＧＤＰは九・五兆米ドルとなり、世界二位にまで及んでいる（一位のアメリカのＧＤＰは一六・九兆米ドル）。また、中国の一人当たりＧＤＰ（二〇一〇年の不変ドルを単位とする）は一九六〇年では一九一米ドル以下だったが、六十年の発展を経て、二〇一七年には七千米ドルとなり、中等収入国家となっている。

　ＧＤＰ以外でも、経済成長の過程は経済構造の持続的な変化に伴っているという点がある。ホリス・チェリーなどの分析によると、経済成長とは経済構造の成功的な変革であり、一人当たり所得の持続的な向上と経済構造の持続的な変化は、一つの物体の異なる側面と同様で、高度にも相対的な関係があると考えられている[1]。つまり高所得に成功した経済体は類似の高度な経済構造の変化の軌跡を伴い、高所得に成功しない経済体は高所得経済体が経験した類似の経済構造の変化の軌跡を辿らないということとなる。大多数の高所得経済体は、経済活動が製造業からサービス業へと移行する経済構造の転換を経験している。

(1)　ホリス・チェリー(ほか)『工業化と経済成長の比較研究』、上海、上海三聯書店、上海人民出版社、一九八九年。

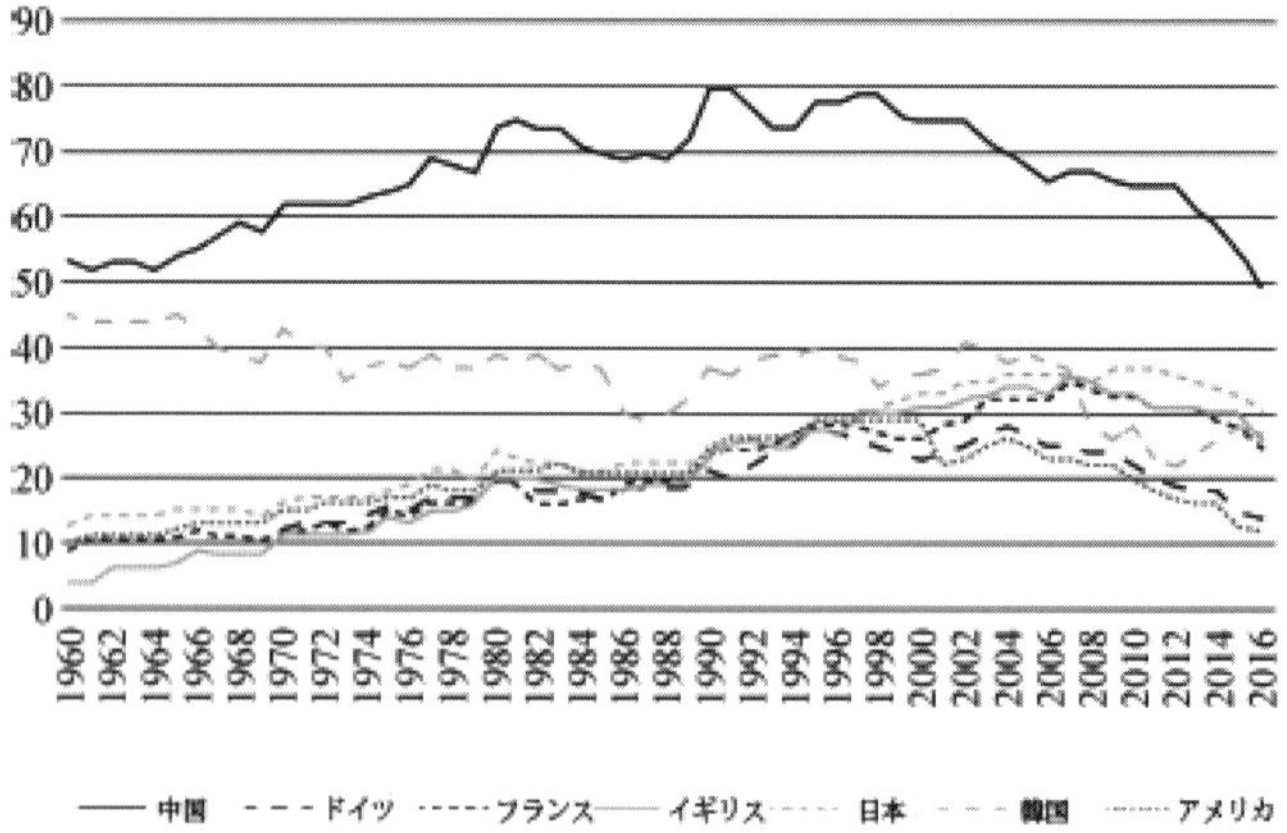

図 4-2　主要国家の物質文明のランキング

一人当たり所得の視角から見ると、中国は製造業からサービス業に移行する所得基準のハードルを既に超えている。国際比較をしやすくするために、我々は上述した文献と一致したGDPの値、すなわち一九九〇年の国際ドルを使用する。また、参照として同時に一人当たりGDPの名目値（米ドル）を並べている。そして、一九九〇年の国際ドルを計算単位とした一人当たりGDPはマディソンの歴史統計から得たデータであり、この統計は二〇一〇年までの更新であるため、二〇一一～二〇一六年のデータは中国国家統計局の一人当たりGDP（不変価格）の増速推算から得ている。一人当たりGDPの名目値（米ドル）は中国国家統計局によるもので、為替レートは同年末のものを採用した。一九九〇年の国際ドルで計算すると、中国の二〇一〇年の一人当たりGDPは八〇三二国際ドルで、国際上における製造業からサービス業へと移行する所得ハードルの臨界値に達しており、二〇一六年の中国の一人当たりGDPは一万二一三〇国際ドルだった。名目為替レートで計算すると、二〇一六年の中国の一人当たりGDPの名目値は七七八一ドルだった。

付加価値シェアから見ると、中国は既に工業化のピークを越えており、製造業からサービス業への転換期に入っている。現価工業付加価値がすべての現価付加価値を占めるシェアは、一九五二年時点で二一％だったが、その後持続的に上昇し、二〇〇六年には過去三十年の最高点である四七％に達し、その後また持続的に下降し、二〇一六年には三九％になった。不変価格で計算すると、工業付加価値のシェアは二〇一〇年に最高点の四二・七％に達し、その後徐々に下降し、二〇一五年には四〇・一％になっている。サービス業について言えば、一般に一国の経済水準が一定の段階まで発展すると、サービス業の台頭は必然的な結果であると考えられている。付加価値の占める割合のデータを分析すると、サービス業のシェアは現価・無変価を問わず一九八〇年代以降上昇し続けているのがわかる。

就業シェアから見ても、中国はやはり工業化のピークを越えており、製造業からサービス業へと転換している。中国は長期的な製造業就業シェアのデータが不足しており、現在得ることが可能な関連データは、過去三十年の第二次産業の就業シェア、二〇〇六年以降の都市と町の製造業の就業シェア、二〇〇八年以降の農民工[1]による製造業の就業シェア、そして過去三十年の第三次産業の就業シェアのみだ。第二次産業の就業シェアの最高点は二〇一二年の三〇・三％で、その後下降している。都市と町の製造業のシェアは比較的安定しており、統計開始以来、常時二八％～二九％の間だ。農民工による製造業の就業シェアは公布された二〇〇八年以来持続的な下降傾向にあり、二〇〇八年には三七・二％だったものが、二〇一四年には三一・三％になっている。第三次産業の就業シェアは、過去三十年において持続的に上昇しており、特に二〇〇八年以降は上昇速度が大幅に加速している。一九八五～二〇〇七年の間では平均して毎年〇・七％ずつ上昇していたものが、二〇〇八～二〇一四年には平均して毎

（1）　中国において、居住地の農村から離れて都市部に出て就労する出稼ぎ労働者をさす。

年一・二%ずつ上昇している。

中国のここ数十年の発展の歩みから分かるのは、経済の成長が対外開放と密接した関係にあることだ。習近平総書記はボアオ・アジア・フォーラム二〇一三年年会の中外企業家代表座談で「中国の経済成長は可能性を秘めており、中国は改革開放を推進させ、成長方式の変革を起こし、対外開放にまつわる政策を作り、継続して外資企業のために良い環境と条件を提供することで、中国の発展が世界にもたらす貢献はより大きいものとなるだろう」(1)と強調している。これらに関し、我々は貿易開放度（貿易がGDPを占める比率）、資本勘定の開放指数、FDIがGDPを占める比率といった三つの指標で測る。貿易の比重から見ると、国際的開放度が上昇しているのが中国の全体的な傾向だ。一九六〇年に中国の貿易がGDPを占める比重は八・七%未満だったが、その後迅速に増加し、二〇〇一年に中国がWTO（世界貿易機関）へと加入した頃には既に四〇%近くになっていた。それ以降は基本的に四〇%前後で安定している。また貿易以外では、国際的開放度を測る指標は資本規制のレベルといったものがある。これに関してはチンと伊藤による各国の資本勘定規制レベルの国際的な統計を用いて比較することが可能だ。資本規制の実態を見ると、中国の資本規制のレベルは統計データベース内の

(1)　習近平「中国経済は持続的で健康な発展を保持する　中国は開放型の経済水準を向上させる」、人民網、二〇一三年四月九日。

一九七カ国において、一九八四年の一五〇位から二〇一一年の四十五位と急上昇を遂げている。

科学技術の実力といった面では、研究開発の支出がGDPを占める比重、ハイテク製品の輸出が製造品の輸出を占める比重、特許の申請数といった三つの指標によって測る。国際的に比較可能な研究開発データの統計開始年数は比較的遅いものだったが、魏尚進などが中国の研究開発への投資と特許数のデータを整理し、国際的な比較を行った[(1)]。産業のアップグレードは国家或いは企業の研究開発（R&D）における多額な投資を必要とする。中国の一九九一年の研究開発投資がGDPを占める比重は〇・七%だったが、二〇一〇年には経済協力開発機構（OECD）国家の中央値を超えており、二〇一二年には経済協力開発機構国家の平均値（二〇一二年は一・八八%）を超えていた。二〇一四年になると二・〇五%にまで達し、これは実に多くの先進国よりも高い数値だった。また、別視角によるイノベーションに対する投入を測る指標として、研究開発人員の割合というものがある。中国の一九六六年における人口百万人あたりの研究開発人員は四四三人で、当時の中国の研究開発人員の割合はブラジル（四二〇人/百万人）相当で、インド（一五三人/百万人）より高く、ロシア（三七九六人/百万人）より低かった。ちなみに当時のアメリカ、日本、韓国の百万人あたりの研究開発人員はそれぞれ三一二二人、

（1） Wei S J, Xie Z, and Zhang X, From " Made in China " to " Innovated in China " : Necessity, Prospect, and Challenges, NBER Working Papers, 2017(31).

四九四七人、二三二一人だった。中国の二〇一四年における研究開発人員の割合は一一一三人まで増加し、中国の製造品の輸出においてハイテク製品が占める比重も上昇していった。この比重は二十世紀九十年代初期の六％前後から二〇一六年の二五％までと大幅な上昇を遂げ、世界ランキングも三十六位から十三位まで登りあがった。

産業のアップグレードにはイノベーションが必須であり、特許の申請数はイノベーションを測る重要な指標だ。中国の国家知識産権局への特許申請数は、一九九五年段階で八万件だったが、二〇一四年には二百三十万件にまで達しており、平均した毎年あたりの増加率は一九％だ。

生活水準の面では、都市人口が全体を占める比率を見ると、一九六〇年の中国はたった一六・二％で、ランキングは当時の二一四カ国のうち、一六五位だったが、その後中国の都市化は急激に加速し、二〇一六年には都市人口が全体の半分以上を占め、その比率は実に五六・七％で、二一四カ国のうちの一一七位になる。「医療支出がＧＤＰを占める比重」を例にすると、最も古いデータは一九九五年のもので、当時の中国の医療支出がＧＤＰを占める比重はわずか三・五％だったが、当時最も高い国は三〇・八％で、全一八二カ国のランキングで中国は一五一位だった。その後、中国の医療支出は順調に上昇し、十年ごとに約一％という上がりぶりを見せ、二〇一四年に中国の医療支出が全体を占める比重は五・五％に達しており、当時の支出最高国（一七・一％）との差は一一・六％にまで縮まっていた。医療支出の増加が直接影響されるのが嬰児の死亡率の下降で、中国国家衛生委員会の統計によると、中国（観測地区）

の嬰児の死亡率は、一九九一年の五〇・二‰から二〇一六年の七・五‰まで減少しており、その中でも特に農村地区の嬰児の死亡率の下降が一九九一年の五八‰から二〇一六年の九‰と、より顕著だった。

一国の物質文明は他にも、国防・軍事支出にも反映される。二十世紀九十年代以来、中国の軍事支出がGDPを占める比率は二%前後を保持しており、世界ランキングでは五十〜六十位であるため、中国の国防体制は実力あるもので、尚且つ盲目な軍備競争を追求していないことが分かる。

二　政治文明――公民参政と法治建設は絶えず改善されている

政治文明を現代的な意味で理解するには、次の三つの視点がある。一つ目は、政治文明とは、生み出され、持続的な生命力をもつ政治形態を意味するという点だ。二つ目は、政治文明が社会・政治の進歩を意味するという点で、文明とは常に進歩と同義であるからだ。ここにおける政治の進歩とは、主に人類が平和的な交渉を通じて政治的難題を解決し、政治的苦境から脱することがどれほど有効かということで、制度の発明と技術の設計などを含む。三つ目は、政治文明が政治の発展を意味するといった点で、文明そのものも発展を表す概念だ。

経済の発展状況と同様に、政治にも先進、発展途上といった区別があり、それを表す指標もまた一つの課題だ。政治の発展を研究する学者は一般的に、政治の発展は、①民主、自由、法治などの現代の政治意識と政治観念が社会上で共同認識され、それらが人々の政治活動や参政などを推し進める役割を果たしているかどうか、②政府機構と政府機能の専門化、ならびに政府の社会管理能力のレベル、③社会における参政の方法の拡大と民衆の参政の普遍性と有効性といった三つの評価指標で表すことができると考えられている。

本章で採用した指標は、基本的に上述した基準を満たしており、主要国家の政治文明の歩みから見ると、中国の政治文明のレベルは常に深化している傾向にある。量化された指標から見ると、政治文明の面において、我々が採用した指標は主にガバナンス品質統合データベース(Quality of Government Institute)から引用した「政治の権利」、「公民の権利」、「公民の社会参与状況」といったものだ。その中でも、政治の権利の一項は「一」から「七」の間の変量であり、民主化のレベルを「一」が最高、「七」が最低といった具合で表している。この項目では中国の変化はあまり顕著ではない。「公民の権利」といった指標は「一」から「十」の間であり、値が大きければ大きいほど公民の権利がより充分であるというものだ。中国における最も古いデータは二〇〇五年で当時の値は「三」であり、全一一九カ国のランキングでは九十四位だった。その後もランキングの変動はあまり無い。これと同様に、「公民の社会参与状況」も「一」から「十」で表される変量で、数値が大きければ大きいほど、公民の社会活動における参与度が高いこととなる。二〇〇五年以来のデータで、中国のこの指標における得点は「三」

前後で、全一一九カ国のランキングでは一〇〇位だった。法治の水準を測るうえで、最も国際的に比較可能な指標は「世界法律制度ランキング」だ。この世界ランキングでは、二十年足らずの間に、中国は一九九〇年代の一〇〇位前後から二〇一〇年には七十三位と三十位近く上昇している。

主要国家の政治文明の点数と政治文明のランキングは、図4―3と図4―4を参照してほしい。

中国の政治文明の建設は参政の深化、そして日々の改善のもと成り立っている。その中でも、公民参政の発展と変化は一国の社会、経済、文化、歴史・伝統と現存体制の多重な駆け引きの結果であり、また公民の主体性、外部条件の輸入とフィードバックの過程でもあると言える。中華人民共和国の成立以来、中国の社会・経済が世界から注目される偉大な成果を収めたことに伴い、国民参政の能力と効果に大きな変化・発展がもたらされた。それを確証づけるのが以下の四点だ。

まず、一点目は中国における公民参政の形態が日々拡大されているという点だ。公民参政の形態は、国家制度の供給、公民の参政能力、政治文化、科学技術の発展レベルなどと密接に関連している。公民参政の新たなルートと方法は、政治の実践の中で日々創造・刷新され、本来の選挙や地域の自治活動、信訪（投書陳情）制度などといった参与形式の改善をし続けながら、市民ホットライン、フォーラム、電子メール、ブログなどといった現代科学技術を媒体とした

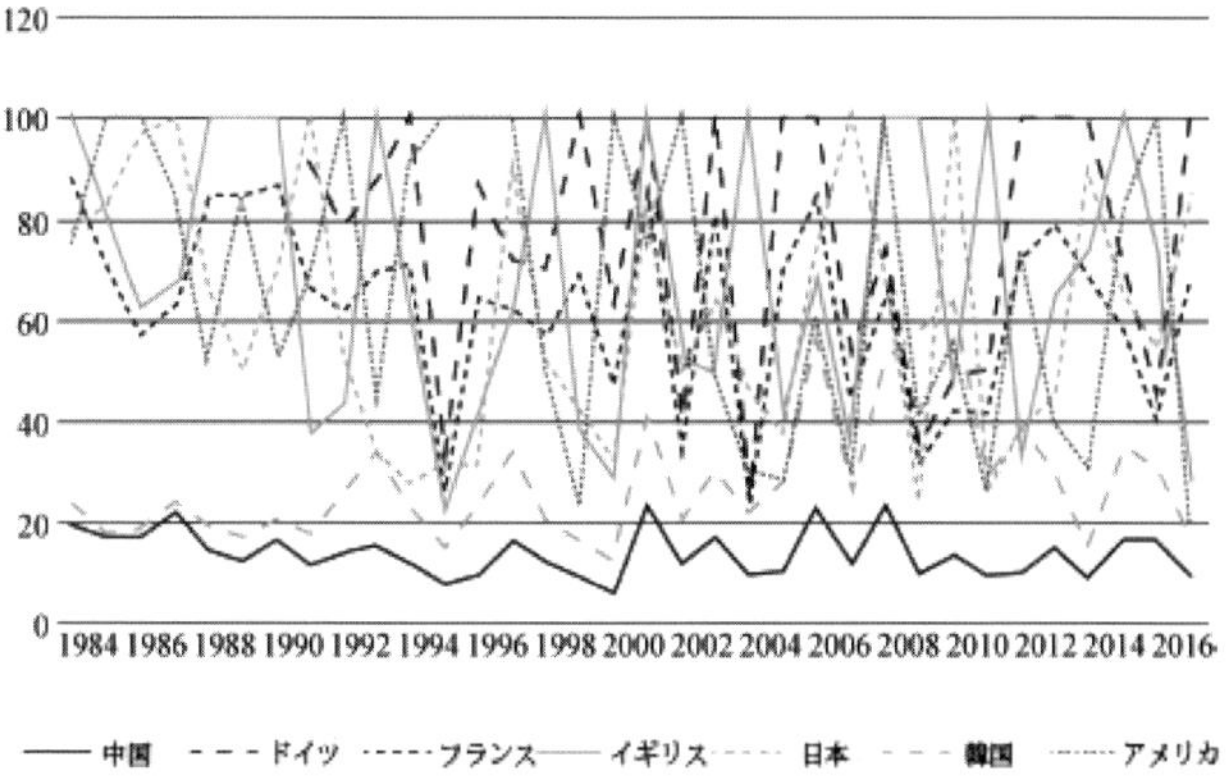

図 4-3　　主要国家の政治文明の点数

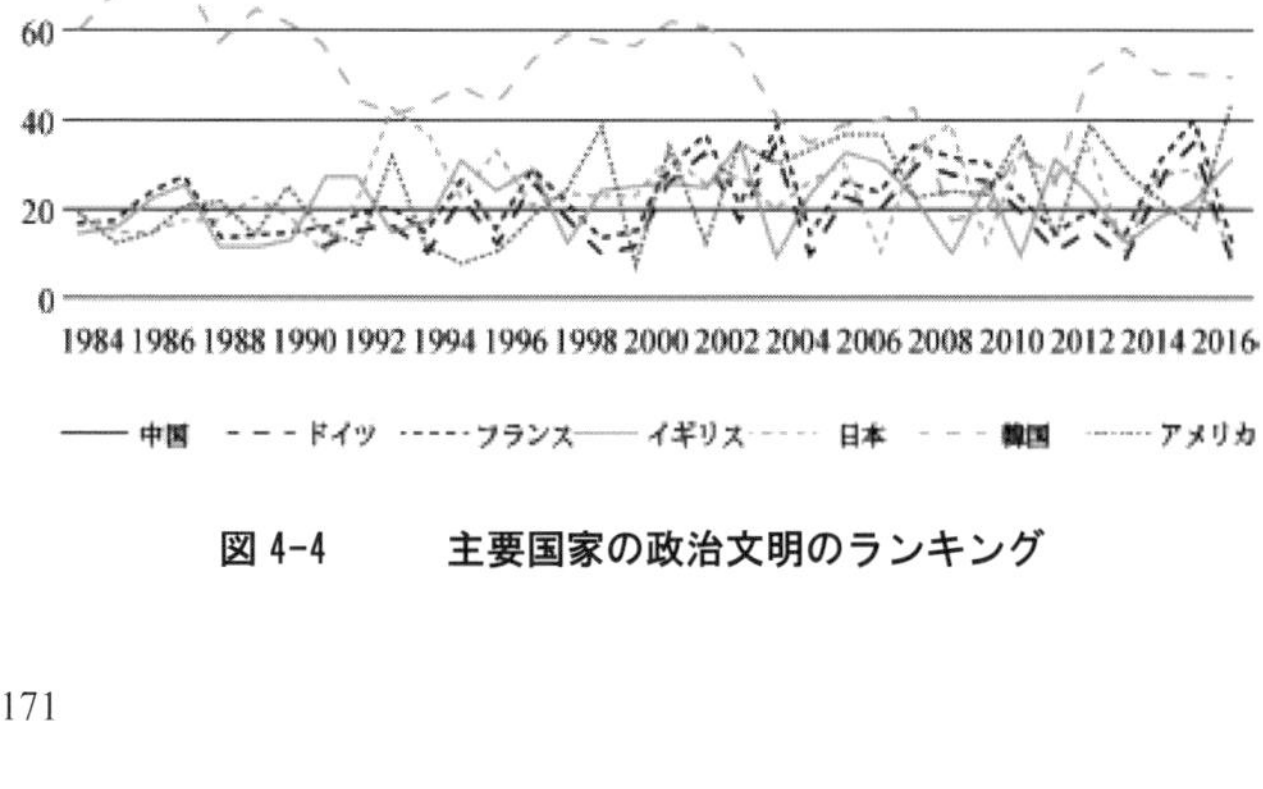

図 4-4　　主要国家の政治文明のランキング

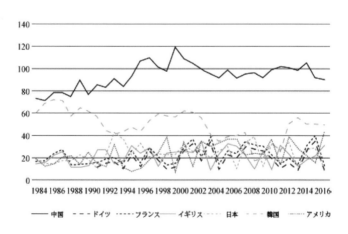

公民参政の方法も日々拡大されている。手軽で高効率なインターネットは公民の公共事務への参与や直接的な利益の訴求を行うのに大変有効的だ。公民は等額選挙[1]から競争性選挙へ、投票者から選挙推薦者へ、手紙による政治意見からブログなどによる政治観念の主張へ、そして政府の救済を待つのみだった人々の声がインターネットを使用して政府に直接届くように……現代中国の公民参政の形式は多種多様で、特にここ数年では各級の政府職員がインターネットを利用し、ネットユーザーによる不満や意見などを積極的に収集し、インターネットを中国公民の参政における最も影響力のある手段として重要視している。現在の中国の公民参政の基本的な姿勢は、個人参与と団体参与の併存、末端階層の参与と高層の参与の共進、支持型の参与と批判型の参与の交わり合いといった具合だ。

二点目は、中国の公民参政の能力が日々向上しているという点だ。参政とは公民権を実現する重要な形式であり、公共権力の実施において欠けてはならない力の一つだ。公民権を実現するには法律制度の支持が必要なだけでなく、公民自身の能力との組み合わせも必要となってくる。国家にとって、公民が知識を持って適度に参政するということは、社会の安定と権力の合法的な認識をもたらし、社会に活力がある証となる。中華人民共和国成立初期の頃、多くの中

(1)（一九八〇年代以前に行なわれていた、全国・地方の人民代表の選挙で）候補者の数と選出・指名された人の数が同じである選挙。

国人は質素な感情を持ち社会生活に参加していたため、心の底から中国共産党を支持し、選挙や他の政務活動を一切疑わず、反対意見が出ないのはおろか、補充意見すらも無かった。しかし改革開放以来、中国国民は法治、民主に対する意識が高まり、国民の主体性が強化され、より多くの国民が法律と自身の価値観に基づいて自身の行為を決め、盲目的にならず、自主的かつ理性的に自身の評決権・参政権を発揮するようになった。二〇〇四年に北京と深センの両都市で行われた県・区人民代表選挙では、自己推薦の立候補者が現れ、組織が県・区人民代表の候補者を推薦するという従来の慣例を破り、地方の人民代表選挙のルールを変えた。これは中国における公民の参政史上で象徴的な出来事となった。多くの公民参政活動により、「臣民」の投票制度よりも選民の自主判断力・参政能力はより一歩進んだものとなった。

三点目は、中国の公民参政の効果が明確に出現しているという点だ。公民参政は公共管理のコストがかかる上に、中国の公民参政水準は未だ第二段階から第三段階、すなわち象徴的参政形式から完全に公民参政といった方向へ進んでいる最中だが、中国の公民参政が公共方策の決定に与える影響は大きく、中華人民共和国建国当初の表面的な参政から、深度のある参政へと進化している。二〇〇三年の「孫志剛事件」[1]後、二十数年に渡り実施され続けた「都市浮浪者

(1)　広州市において、二〇〇三年三月に孫志剛という若者が公安当局に身柄拘束された後、職員らに暴行などを加えられ死亡した事件。

収容・送還法」が新たな法案と代替されたことなども、国民の参与により得られた政府の快速な対応の結果だ。二〇〇六年の「中華人民共和国労働合同法（草案）」が公布され、全社会から意見を募集したところ、一カ月で十九万通もの意見が集まり、「中華人民共和国社会保険法（草案）」に対する各界の人士による意見と提案は七万〇五〇一件に及んだ。これらの提案と意見は専門家の立法において非常に重要な参考的役割をもたらした。ここ数年の「両会」(1)期間では、数万名のネットユーザーがインターネットを利用し国に献策を行うなどし、各地でインターネットユーザーより選ばれた人民代表大会代表および政協委員のニュースが絶え間なく流れ、各地の「12345番」の市長ホットライン、「行政効率監督電話」などもサービス型政府の建設を大幅に促進させた。至る所で見受けられる公民参政が中国の公民社会の成長と公民参政の更なる発展の傾向を表しているのだ。

四点目は、中国の公民参政の類別と構造が常に最適化されているという点だ。社会ガバナンスの類別が公民の参政にあるべき重点と類別を決定する。一部の国民は参政するにあたって国家の重要な事柄や上層部の方策制定などに関心を持っている。もちろん、直接的な参与は難しいものの、人民代表大会代表の代言やインターネットを用いた観点の発表、意見書などの方法を用いて公民の責任を果たすことができる。また、一部の国民は身の回りで発生することに関

(1) 全国人民代表大会（全人代）と全国政治協商会議（政協）。

心を持っており、ボランティア・地域活動への参加や地方公共管理者との直接的な交流により自身の社会・国家に対する義務を果たしている。地方人民代表大会の傍聴、人民裁判員、地方党委員会への参加、政府主導の「献計献策」活動への参加、地方の発展に対し自主的に批判や提案をするなど、すべてが公民の参政における異なる類別だ。公民が異なる類別で参政することは、参与の過剰や利益競争による参政ルートをふさぎ、秩序のある公民の参政を形成する。参政の類別がより良くなると、参政の秩序性も高まり、政治の安定も更に強化される。現代中国の公民参政制度の設計はこうした方向へと向かっている。

五点目は、中国の公民参政制度の供給が日々豊富になっているという点だ。健全かつ秩序のある公民参政には法律の支持と保障が必須となり、これは世界の政治現代化の過程における経験と教訓でもある。「中華人民共和国全国人民代表大会と地方各級人民代表大会選挙法」、「中華人民共和国政府情報公開条例」、「信訪条令」、「中華人民共和国村民委員会組織法」、「中華人民共和国都市住民委員会組織法」、「社会団体登録管理条例」など一連の法律および法規と各地方で実施されている地方条例などが、公民の知る権利、参政権、表現の権利、監督する権利を保障し、中国の公民参政における制度保障を拡大させた。これらの法律の本文は国民の行動に対し方向を示すだけでなく、行動の規則も示し、国民が国家事務や自治体に参与する際の規範も明らかにされており、公民個人の行動に関する要求だけでなく、社会組織の連帯責任や行動についても記されている。国家制度は政治、経済、社会生活といった多くの視角から公民の公共事務への参与に対し、引導および規範の役割を持っており、これは中国の民主・法治における進歩でもあり、中国の国民参政の絶え間ない発展の証しでもある。

上述の中国の公民参政における五つの変化が、中国の政治体制の進歩と科学的な一面を表し、またこれらの変化の包容性は日々拡大され、整合力も日々向上している。こうした変化が国民の主体性の豊富さと自信をもたらし、国民の法治意識・権利意識・責任意識なども幾度に渡って繰り返される政治実践の推進により新たな水準に達している。このように中国の政治文明は向上し続けているのだ。

法治建設といった面では、一九四九年中華人民共和国の成立が中国の法治建設の新紀元となった。一九四〇年から二十世紀五十年代半ばにかけて、中国は臨時憲法的な性質を持つ「中国人民政治協商会議共同綱領」と一連の法律・法令を制定し、新生の共和国政権を強化し、社会秩序の保持と国民経済の回復に大きく貢献した。一九五四年の第一回全国人民代表大会第一次会議で可決された「中華人民共和国憲法」ならびに後に制定された一連の法律が、国家の政治制度、経済制度、公民の権利・自由を規定し、国家機関の組織と職権を規範し、法治国家といった基本原則を作り出し、初歩的に中国の法治の基礎を築いた。二十世紀七十年代末になり、中国共産党は歴史的な経験、特に「文化大革命」による痛い教訓をもとに、国家の中心目標を社会主義現代化へと移行する重大な決断をし、改革開放政策を実行し、絶対的な法治国家といった原則を明確にした。事件を裁く時に依るべき法律があり、法律ができたら必ず法律を守って執行し、違法者を必ず罰することが改革開放期における法治建設の基本理念となった。「憲法」、「中華人民共和国刑法」、「中華人民共和国刑事訴訟法」、「中華人民共和国民事訴訟法」、「中華人民共和国民法通則」、「中華人民共和国行政訴訟法」など一連の法律が制定され、中国の法治は一新された発展段階へと突入したのだ。

二十世紀九十年代になり、中国は全面的に社会主義市場経済の建設を推進し、法治に関しても更に高い要求を出した。一九九七年に開かれた中国共産党第十五回全国代表大会では、「法にしたがって国を治める」を国家統治の基本方針とし、「社会主義法治国家の建設」を社会主義現代化の重要目標の一つと定め、また中国の特色ある社会主義法体系建設といった重大な任務を提起した。一九九九年、「中華人民共和国は法にしたがって国を治め、社会主義法治国家を建設する」といった内容が憲法に取り組まれ、中国の法治建設は新たな幕開けを迎えた。

二〇〇二年に開かれた中国共産党第十六回全国人民代表大会では、法にしたがって国を治めるといった基本方略が全体に行き届き、小康社会の全面的建設における重要な目標の一つとされた。そして二〇〇四年には「国家は人権を尊重、保障する」といった内容が憲法に取り入れられた。二〇〇七年に開かれた中国共産党第十七回全国代表大会では、全面的に法にしたがって国を治める基本方針が推進され、社会主義法治国家の建設を加速させ、社会主義法治に関する措置を強化させた。二〇一三年一月、習近平総書記が全国政法活動会議で「法治の中国」を建設するといった新たな要求を提起し、その後中共中央政治局第四次全体学習の時に習近平総書記は科学的な立法、厳格な法律の執行、公正な司法、全民の守法、法にしたがって国を治め、法に基づいた執政、法に基づいた行政の共同推進、法治国家・法治政府・法治社会の一体的な建設、法にしたがって国を治める新局面の模索を提案した。そして中共十九大報告で、習近平総書記は「法治の中国」に対し、「法にしたがって国を治める中央指導小組を設立し、法治の中国の建設に向けた統一された指導を強化する」[1]と述べている。

三　精神文明——衣・食・住の保障から豊富で多彩な生活へ

精神文明とは、人類が客観世界と主観世界を作り変える過程にて得られる精神の成果の総和、すなわち人類の知恵であり、道徳の進歩状態でもある。精神文明といった領域では、良好な国民教育が一国の精神文明の発展の前提となる。世界の主要国家の精神文明の歩みから見ると(図4—5を参照)、中国の精神文明レベルは二十世紀九十年代以降迅速に上昇しており、二十世紀九十年代には七十位代だった世界ランキングも、二〇一六年には五十一位（図4—6を参照）となり、他の先進国との差が縮まっていることが分かる。

（1）習近平『小康社会（ややゆとりのある社会）の全面的完成の決戦に勝利し、新時代の中国の特色ある社会主義の偉大な勝利をかち取ろう——中国共産党第十九回全国代表大会での報告』北京、人民出版社、二〇一七年。

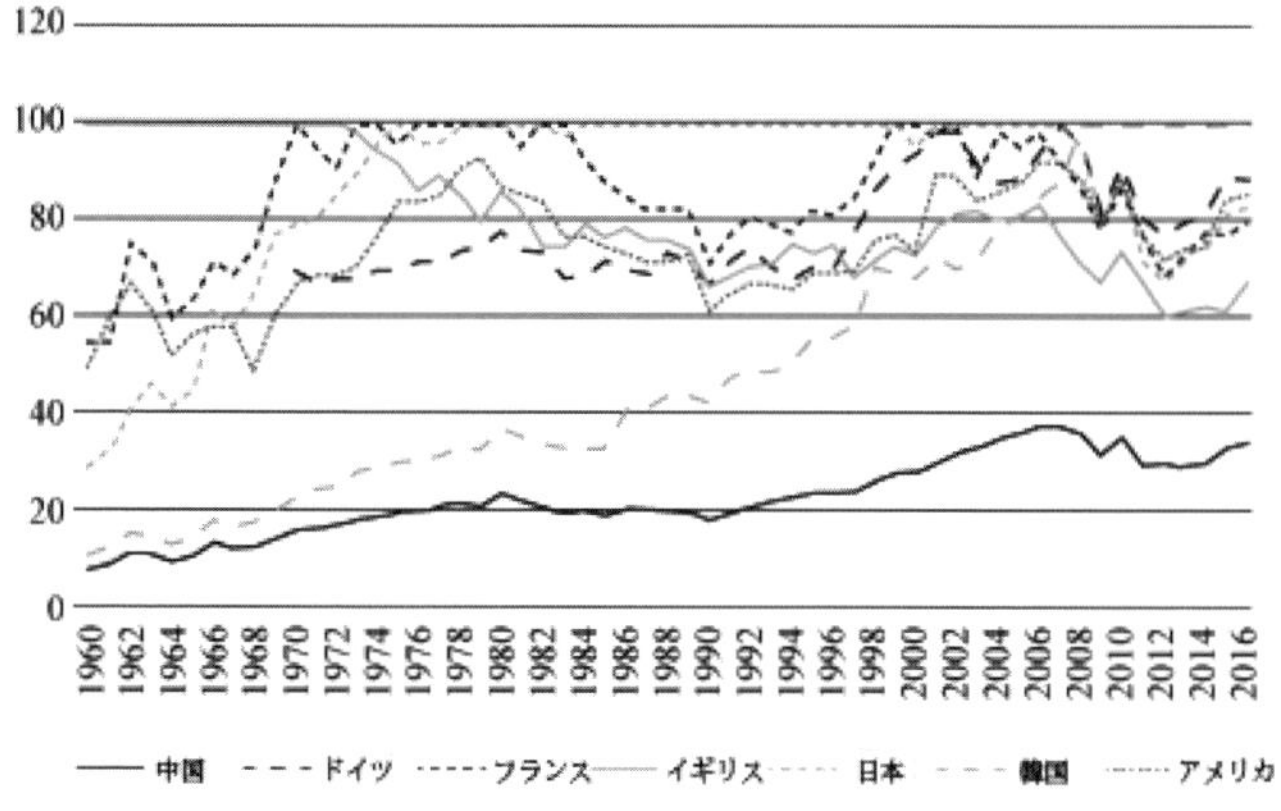

図 4-5　　主要国家の精神文明の点数

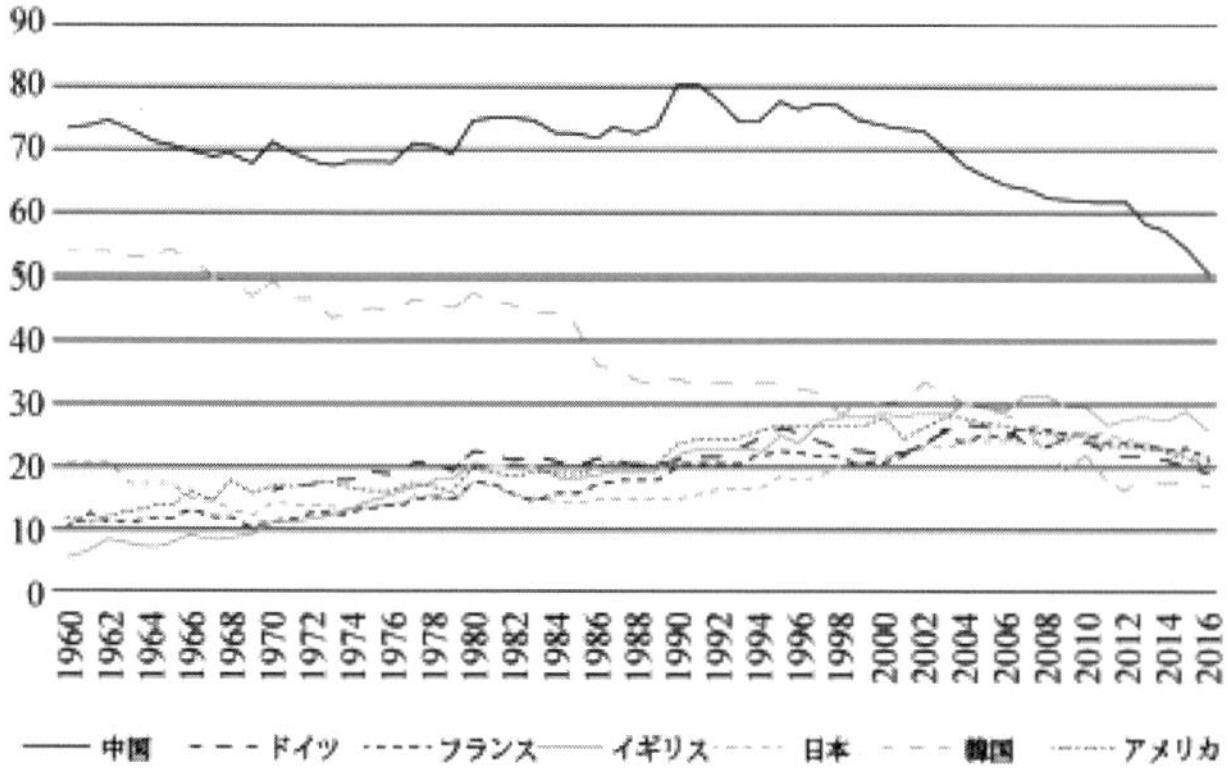

図 4-6　　主要国家の精神文明のランキング

具体的に、教育の領域における現代化の発展水準を量化すべく、我々は五つの指標を用いて一国の教育水準をはかる。その内容は、①二十五歳以上の女性が小学校教育を受けた割合、②二十五歳以上の人口が小学校教育を受けた割合、③二十五歳以上の女性が中学・高校教育を受けた割合、④二十五歳以上の人口が中学・高校教育を受けた割合、⑤総人口の平均的な教育年数——といったところだ。ご覧のとおり、我々は女性の教育状況に注目している。伝統観念により経済発展水準が低い際に女性の教育を受ける権利が剥奪される傾向があるからだ。そのため、女性の教育状況は単独で考察する必要がある。データから見ると、中国は基礎教育で著しい進展を遂げており、進歩が最も早い時期はおそらく中華人民共和国の成立後だ。当時の全体的な教育水準が低かったため、国民の就学率が急速に上昇した。例えば、二十五歳以上の女性を例に挙げると、一九五〇年には三%だった小学校の卒業率が一九七〇年には三四%になり、一九九五年には四二%になり、世界ランキングでは三十二位になっていた。これと同様に、男性も含まれた二十五歳以上の人口が小学校教育を受けた割合も、中華人民共和国成立当初の一〇%から、一九八〇年には四四%、世界ランキング五十一位へと成長しており、その後この順位は概ね安定している。中学・高校教育を受けた割合を考察すると、中国の進歩はより一層明確だ。二十五歳以上の女性を例に挙げると、一九五〇年にその割合はたったの〇・五%であり、当時のデータが獲得可能な七十一カ国の中では実に六十五位だったが、それ以降この割合は迅速に上昇し、一九九〇年には三〇%近くに、二〇一〇年には五〇%以上になり、一四三カ国（あるいは地区）のランキングで三十五位になっていた。男性も含めた中国の二十五歳以上の総人口で中学・高校教育を受けた割合は一九五〇年時の二・六％から、二〇一〇年には六一・七％に増え、一四三カ国（あるいは地区）のランキングにおける二十六位と飛躍的な向上ぶりを見せている。ここから分かるように、中国の基礎教育における進歩は著しく、これは中国で全体的に徹底された「九年義務教育」の制度と密接な関係にある。

教育の水準は一国の精神文明の基礎と保障であり、その効果に関しては、一連の量化可能な指標で教育水準によるアウトプット、あるいは成果を測る必要がある。そのため、我々は科学技術文献の刊行数と商標登録の申請数といった二つの指標を用いて評価する。その中でも、科学技術文献の刊行数は義務教育、中でも特に高等教育の科学技術面におけるアウトプット量を測り、商標登録の申請数は教育の商業における影響を評価する。二〇〇三年時、中国の一人当たりの科学技術文献の刊行数は〇・〇〇〇〇六部であり、一九四カ国のランキングでは七十二位だった。しかし、二〇一六年になると、この数値は一人当たり〇・〇〇〇三部と四倍近くまで増加し、ランキングでは五十五位となった。商標登録の申請においては、世界知的所有権機関（ＷＩＰＯ）のデータによると、中国は二〇一一年にアメリカを越して、世界最大の特許申請受付国となっている。特許は発明、実用新案、デザインといった三種類に分類されるが、その中で最も技術量が高いのは発明の特許であり、その授権数が全ての特許を占める割合は一九九五年の八％から、二〇一四年の一八％へと上昇している。そして二〇〇五年には外国の申請者へ授権された特許の割合が二〇％を越したが、二〇一四年にはこの割合が七％まで低下している。これは、二〇〇五年以来、自主的なイノベーションが中国の経済成長において重要な役割を果たしているということを意味する。また中国と他の国家のアメリカ特許商標局における特許の授権数を比較すると、厳格な審査制度の下でも、中国の特許数の成長は同様に速いということが分かる。中国企業の申請人がアメリカ特許商標局で獲得した特許数は一九九五年の六十二件から、二〇一四年の七二三六件へと増加しており、一九九五～二〇〇五年の増加率は二一％で、二〇〇五～二〇一四年の増加率は三八％だ。これらのデータの獲得可能な時間の序列は長くないが、ここ二十年のデータからも分かるように、中国の科学技術・文化面におけるアウトプットは質・量ともに上昇している。

こうした成長は決して簡単に得られたものではなく、新中国の教育は経済の後れ・文化教育の不発達といった基礎から立ち上がったものだった。中華人民共和国成立当初に、根本から旧中国の貧困で後れている面貌を変えるべく、毛沢東を核心とした中共中央が全国範囲の民族的・科学的・大衆的な新民主主義教育の文化教育政策を確定し、計画的に教育事業を展開させ、各級各種の教育は飛躍的な発展を遂げた。

一九五六年に教育の社会主義改造は順調に完成し、中国は初歩的に社会主義教育制度を確立し、そして社会主義教育方針も確立された。教育の建設と発展における重点は「二本足で歩く」といった教育方針の実行であり、教育制度や授業、教員・学生の思想政治教育などの方面で全面的な建設と改革を展開し、教育事業の発展を加速させた。一九五八～一九六〇年の教育の「大躍進」が教育発展を大幅に上下させたが、中国共産党と中国政府は直ちに経験と教訓に基づき、「調整、強固、充実、向上」といった方針を徹底し、各種教育の規模を調整し、学校勤務条例と一連の規程を制定し、中国の教育事業を順調な発展といった軌道に再度乗せることに成功した。

中国共産党十一期三中全会以降、中国は社会主義現代化の建設と改革開放の新時期へと突入し、これにより教育改革と対外開放の序幕を開けることとなる。中国共産党十二大で提案された中国の特色のある社会主義建設の理論が、教育の戦略的地位を定めた。鄧小平がかつて話した「教育は現代化に向かい、世界に向かい、未来に向かう必要がある」(1)という言葉は、戦略の高度から中国の教育改革および発展の方向を示した。それによって、教育の改革は局部から全局へと突破性のある進展を遂げた。一九八五年、中共中央は教育改革を始め、教育体制と教育制度の深層的な変革問題の解決に着手した。その任務とは、基礎教育の発展を各地方の責任とし、段階的な九年の義務教育制度の実行、中等教育の構造調整、職業技術教育の発展、大学の学生募集計画と卒業配置制度の改革、大学運営の自主権の拡大などだ。

中国共産党十四大で提案された社会主義市場経済体制の枠組みの建立といった戦略任務が、

(1)　鄧小平の北京景山学校への題詞（一九八三年十月一日）。

教育に対し新たな要求を提出した。この戦略任務を実現すべく、江沢民を核心とした中共中央により実行されていた既存の教育体制改革の基礎から一歩進んだ深化改革を行い、徐々に社会主義市場経済体制、政治体制、科学技術体制に適応した新たな教育体制を建立し、教育が主動的に社会主義市場経済と社会発展に適応するといった活力を増強させ、科学教育による国家の振興と人材強国戦略を提案・実施し、中国教育の改革と発展を大きく推し進めた。また、法に基づいた教育の推進が、中国の教育改革と発展に法治の保証をもたらし、道徳教育の実施による課程・教学・試験評価制度の改革を推進させ、教育事業の発展は追い越し車線へと入るのだった。教育の普及は歴史の飛躍的な発展を遂げ、二十世紀末には予定通り、「九年義務教育の基本的な普及、ならびに青少年の文盲をゼロに」といった目標を実現した。

中国共産党十六期三中全会では、科学発展観が確立され、中国の経済・社会の全面発展における重要な指導思想となった。胡錦濤を総書記とした中共中央は引き続き科学と教育による国家振興と人材強国戦略を実行し、優先的に教育を発展させ、人材資源強国を作り上げるといった重大な施策を講じ、教育規模の拡大と普及水準の向上といった外延型の発展モデルから、構造の改善、質の向上、公平の推進、収益性の向上、人材教育の創新といった内涵型の発展モデルへと変貌させ、教育の改革と発展が新たな進展をもたらした。義務教育が全面的な普及・強固・向上といった新段階へと突入し、西部地区では農村の義務教育経費の保障メカニズムが建立され、全国の都市と農村における無料の義務教育が実現された。大学教育の質も絶え間なく向上しており、更に一歩進んだ高水準な大学と重点教科の建設が推進され、学生のイノベーション能力を核心とした人材教育の改革も深化・強化された。そして、新たな基礎教育課程の改革が全国的に推進され、道徳と体育の教育が強化された。均衡的な発展の推進により、教育の公平が促進され、家庭の経済状況が困難な学生を支援する政策体系が整い、人々に更なる平等な教育の機会をもたらした。

中国共産党十八大以来、教育システムが教育の総合改革の深化を、そして国民が満足する教育を推進する原動力とし、継続して改革が教育の発展を促進し、改革が教育の公平を推し進め、教育の質を上げ、教育の活力をもたらしてきた。二〇一二年十一月、習近平総書記が「十個のより良い」[1]によって国民の関心に応対したが、その中では「より良い教育」が一位となった。そして二〇一三年九月、国連「教育が第一」グローバルイニシアティブ行動一周年記念行事の映像スピーチで、習近平総書記は世界に向け、「十三億人の国民により良く、より公平な教育を与えられるよう尽力する」と宣告している。[2]二〇一五年十二月に発表された中国の「国家中長期教育改革と発展計画要綱（２０１０～２０２０）」実施五周年の効果評価によると、中国

（1）　より良い教育、より安定した仕事、より満足できる収入、より信頼できる社会保障、より高いレベルの医療衛生サービス、より快適な住居条件、より美しい環境を望んでおり、子供たちがより良い成長、より良い仕事、より良い生活。

（2）　「習近平主席の国連〝教育が第一〟グローバルイニシアティブ行動一周年記念行事の映像スピーチ」、新華網、二〇一三年九月二十六日。

の教育事業の全体的な発展水準は既に世界トップレベルとなっていた。そして二〇一六年六月、国際エンジニアリング連合大会による「ワシントン協議」の全会投票で中国の「正式メンバー」の申請が通り、事実上中国のエンジニアリング教育が国際的に認可され、中国教育の国際化の一歩を踏み出した。二〇一七年六月には「新たな大学統一入学試験」が幕開けし、教育領域における総合改革はより科学的な目標へと推進されるのだった。

アメリカの外交専門誌「ディプロマット」(The Diplomat)は二〇一七年十二月二十九日、「中国の教育事業は勢いよく発展している」と題した記事で、過去数年に及んだ中国教育事業の発展がまとめられている。文中では、教育事業が中国の発展において重大な推進役割を持っていること、中国の教育が過去数年において大きな成果を出していること、積極的に中国のイノベーション型の社会建設を促進させていること、そしてそれが中国のソフトパワーであることが記されている。

一国の精神文明水準の上昇は、国民の無形文化財および芸術などの無形財産への重視にも反映される。二〇一八年六月に、中国の文化観光部が「中華人民共和国文化観光部二〇一七年文化発展統計公報」を公布しており、その統計によると、全国の各種文化・文化財施設の数は三二万六六四〇〇カ所で、前年末より一万五八〇〇カ所も増加していることが分かる。また従業員人数も二四八万三〇〇〇人で一三万五〇〇〇人増加した。その中でも各種文化・文化財施設の所属部門数は六万六七三八部門で、七〇八部門増加しており、従業員人数は六六万七二〇〇人で、六四〇〇人増加している。同年には第一回全国移働可能な文化財の全面調査を完了し、全国移働可能な文化財一億八〇〇〇万点と文化財収蔵施設一万一〇〇〇余カ所を全面調査し、移働可能な国有文化財の実態をほぼ把握した。同年の年末における全国の移動不可文化財は七六万六七〇〇点だった。国家の一級、二級、三級博物館の運行評価ルールとその指標を修訂するべく、「非国有博物館を更に発展させるための意見」が印刷・配布され、国有館蔵の一級文化財の再審査と非国有博物館の館蔵品の登録が行われた。そして「インターネット＋中華文明」の三年行動計画が全面実施され、文化財情報資源の開放・共有が推進された。同年末における全国の各種文化財機構は九九三一カ所まで登り、前年より九七七カ所も増加している。その中で、文化財保護管理機構は三五一八カ所で、全体の三五・四％を占め、博物館は四七二一館で全体の四七・五％を占めた。

末端組織の文芸と芸術の支援については、中央直属の劇団が共同で末端組織へ赴いて創作、生活体験、助け合いサービスなど五百余りの支援活動を展開しており、公益性のある演出は一二〇〇余り、新たに作られた末端組織連絡点は十二カ所、そして二〇一七年の元旦から春節にかけての期間では四十四の文芸グループによる末端組織への慰問演出・文化サービスなどの支援活動が行われた。戯曲振興プロジェクトを実施し、全国における地方劇の種類に関する調査が行われ、全国三百四十八の地方劇の関連データを収集した。そして芸術創作の資金助成も増大され、二〇一七年に国家の芸術基金が助成したプロジェクト数は一〇〇一項で、金額は七億三八〇〇億元まで及んだ。また、全国民への読書促進といった面では、二〇一六年の年末における全国の公共図書館は三一六六館で、前年末よりも十三館増加し、全国公共図書館の従業員人数は五万七五七六人で、前年末より三百五十九人増加し、全国の一人当たりの図書館蔵数は〇・七冊で、〇・〇五冊増加し、年間一人当たりの本の購入費は一・七元で、前年より〇・一四元増加している。

四　社会文明――平等、包容、多元的な理念が人々の心に浸透する

社会文明の面において、我々は社会秩序、期待寿命、所得格差といった三方面からの評価を行う。社会秩序といった指標では、①組織犯罪、②紛争の密度、③民族の分化、④宗教の分化といった四つの指標を用いて国際的な比較を行う。これらの指標における、中国の世界ランキングは安定して上位だ。選ばれたいくつかの主要国家から見ても、一般的に各国の社会文明の世界ランキングは上昇し続けていることは明らかで、その中でも中国は一九六〇年の一〇五位から五十三位（図4―7と図4―8を参照）へと上昇している。

宗教問題においては、中国は歴史ある多宗教な国家だ。中国の宗教信仰は主に仏教、道教、イスラム教、ローマカトリック教、キリスト教であり、中国民衆は自由に宗教を選択し、自身の信仰と宗教的な身分を表現することが可能だ。

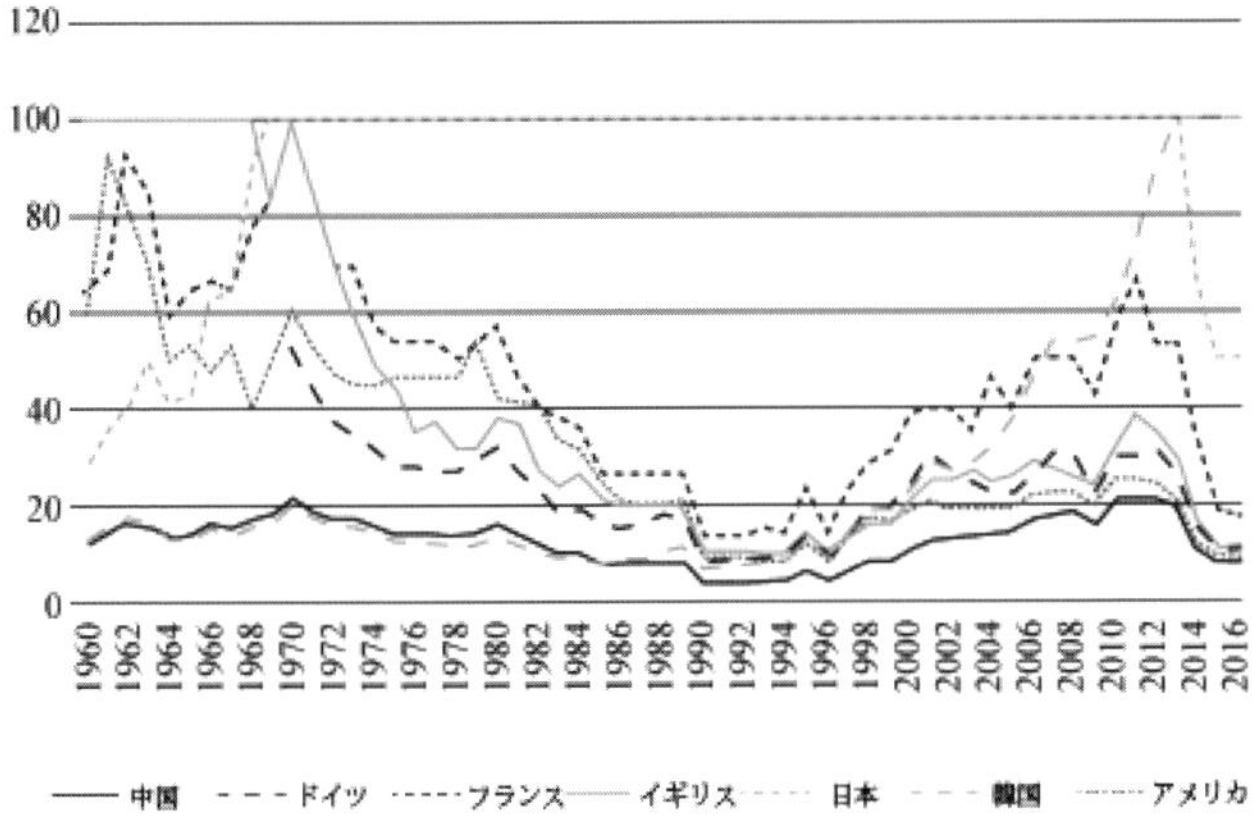

図 4-7　　主要国家の社会文明の点数

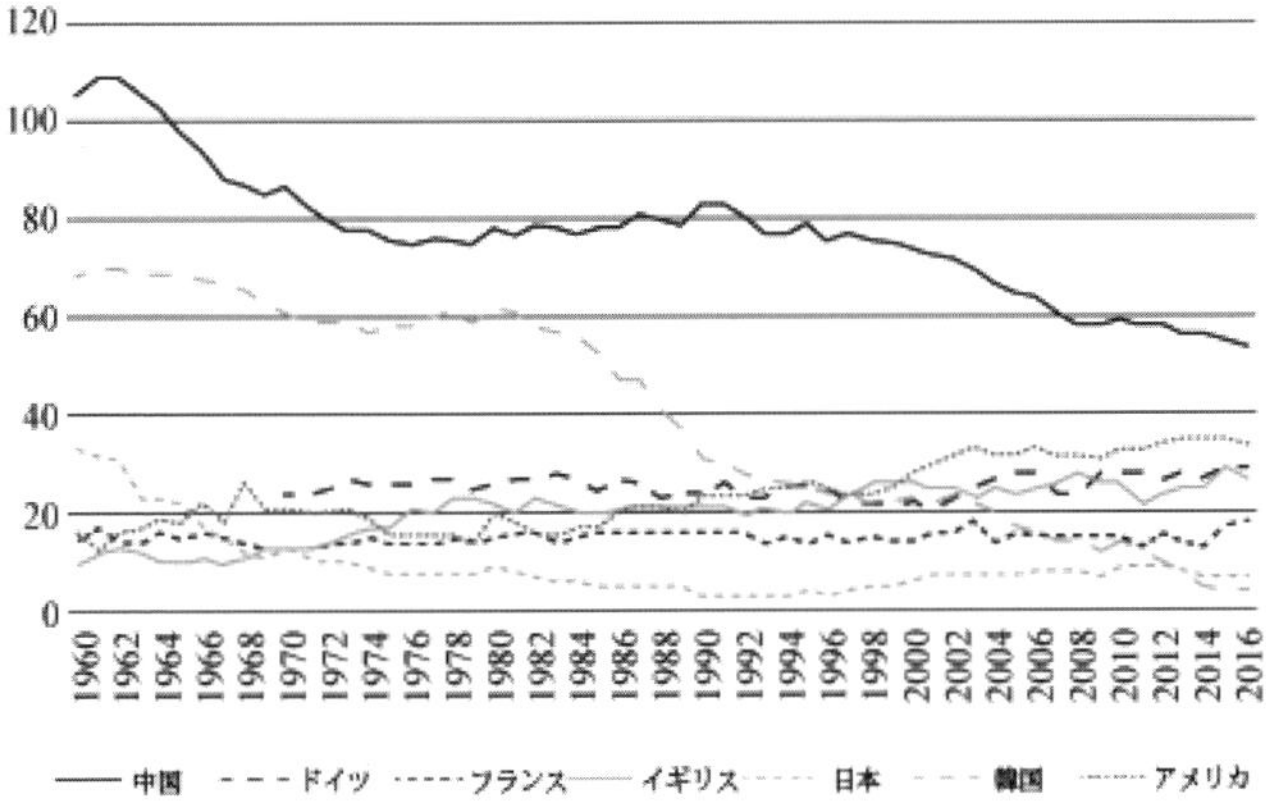

図 4-8　　主要国家の社会文明のランキング

不完全統計に基づくと、中国の現有の各種宗教の信者は一億人以上で、審査に基づき開放された宗教活動場所は約一三・九万カ所、宗教教職人員は三十六万人以上、宗教団体は五千五百団体以上、また宗教団体による宗教教職人員の教育機関は一〇〇校以上だ。中国の宗教は多種多様だが、データから見ると、民族の分化や宗教の分化においては非常に良好な状態であることが分かる。これは中国の伝統的な思想文化にて包容・寛容といった精神が含まれている影響であり、中華人民共和国成立後、中国政府が制定・実施した宗教信仰の自由といった国情にあった政教関係のおかげだとも言えるだろう。民族問題に関しては、民族平等政策、民族団結政策、民族或いは自治政策、各民族共同発展繁栄の政策といった中国の国情にちなんだ、正確に国内の民族問題を解決する方針と政策を政府が制定している。中華人民共和国成立後、多くの少数民族地区の人々の意見に基づき、政府は複数の方法を用いて少数民族地区における民主改革を実行し、二十世紀五十年代末に完成させていた。この改革では領主や貴族、頭人などといった特権者の特権が排除され、「人が人を剥奪し、人が人を圧迫する」といった旧制度を撤廃した。また多くの少数民族の人々が解放され、自由な身となり、国家と自己運命の主人となった。六十数年以来、中国の各民族は平等、団結、互助といった社会主義の民族関係を築き、かつて長期的に圧迫・差別されてきた少数民族の人々は国家の主人となった。中国共産党の指導のもと、中華人民共和国成立前の社会形態における原始社会末期・奴隷制度・封建農奴制度下の少数民族の人々はたったの数十年の期間で、数百年、或いは数千年にも及んだ深い溝を乗り越え、現代社会へと突入した。これらはすべて中国の民族問題における成功の実例だ。

また、世界最大の都市データベースサイトであるヌベオ（numbeo）[1]のデータによると、二〇一六年の中国の犯罪率の世界ランキングは八十八位であり、世界的に見ても犯罪率が非常に低い地区の一つだ。韓国、シンガポール、日本、中国香港、中国台湾は世界で最も安全な国家と地域のトップ5だ。

社会保障体制といった面でも中国は大幅に進展しており、中華人民共和国成立初期から一九七八年にかけての社会保障は実質的には国家保障で、水準は比較的低いものだったが、改革開放以来、特に二十世紀九十年代以来、社会保障事業は迅速に発展した。二〇一七年末になり、基本社会年金、基本医療、失業、労災、生育保険の加入人数はそれぞれ九・一五億人、一一・七七億人、一・八八億人、二・二七億人、一・九二億人に達し、五項の基金総収入は六・六四兆元に達し、同比は二三・九％増加した。また総支出は五・六九兆元に達し、同比は二一・四％増加した。基礎社会年金の中では、都市部労働者社会年金の加入者数は二〇一三～二〇一七年の間では安定した増加ぶりを見せており、二〇一三年末の三・二二億人といった加入者数から二〇一七年末には四・〇二億人へと増加し、一年あたりの増加速度は五・七％に達した。これに限らず、長年の努力を経て中国の社会年金の範囲も広がり続けており、社会年金制度は

（1）https://numbeo.com/common.

都市から農村へと展開され、次第に都市・農村で統一された社会年金制度を建立していった。統計によると、二〇一七年末の都市部・農村部住民の社会年金加入者は五・一三億人に達し、二〇一三年末より一五〇〇万人以上も増加している。

中国共産党十六大以来、中国は都市部住民基本医療保険制度、新型農村医療保険制度を確立したほか、都市部と農村部の医療救助制度を実施し、新医療改革で基本的な医療保障のレベルを大幅に向上させた。また、農村の最低生活保障制度の建立、都市職員の社会年金制度の改善、省級基金の統括的な収集、地域を跨いだ社会年金の引き継ぎ、社会年金基金の規模の拡大と保値・増値の実現、八年連続の企業による退職金の増加、全国範囲における破産した国有企業の定年退職者の医療保険、「老工傷」[(1)]待遇、集団所有制企業の定年退職者の社会年金への参加などといった歴史的な問題を全面的に解決した。そして二〇〇九年から、中国はわずか三年で本来約十年といった予定のあった社会年金制度の全面普及が実現した。これは長期にわたり農村の住民と都市の非労働住民の社会年金制度の空白を埋め、すべての人々が社会年金を享有するといったことが現実となった。社会年金制度の全面普及は中国の社会保障事業発展のマイルストーンであるとも言える。これらは公平な社会環境の良好な基礎となった。

（1）「老工傷」とは二〇〇四年一月一日により実施された「工傷保険条例」以降、企業が労災保険に加入していないことによる労働災害発生後の労災保険基金からお金を貰うことができないといった問題を指す。

医療支出の増加と国民の保健意識の強化に支えられ、中国の平均寿命は著しく向上した。一九六〇年の中国の平均寿命はわずか四三・七歳で、一八九カ国のランキングでは一四一位だったが、その後平均寿命は延び続け、二〇一六年には七六・三歳で、一九九カ国の中では六十八位に達していた。

社会発展の成果は社会の各階層へ行き届くべきであり、相対的に合理的な所得分配の体制は社会の矛盾を緩和し、経済成長を促進させる。クズネッツ曲線では、一国の経済発展に伴い、所得分配の状況は悪化してから改善するといった過程が表されていた。これは国際的なデータから得た歴史の経験であり、中国も同様の道を辿った。改革開放以来、中国は所得格差が比較的少ない国家から、所得格差の大きい国家へと変化した。一九七八年のジニ係数は〇・三一だったが、二〇〇八年には〇・四九一といった最高値まで上昇している。しかし、中共十八大以来、中国の所得分配における改革の推進により、ジニ係数は最高点からの下降を始め、二〇一五年における全国の人々の所得格差のジニ係数は〇・四六二まで下降し、二〇〇三年以来の最低点となった。これと同時に、都市と農村の所得格差、地域間の所得格差にも縮小の傾向が表れ始めた。二〇〇九年の都市と農村の人々の間の所得格差は改革開放以来の最高点である三・三三対一に達した。中共中央による農村発展を加速させる政策の実施に伴い、農家への補助金と貧困層を救済する開発力が増加し、都市と農村における所得格差は縮小を始め、二〇一六年には二・七対一まで縮まった。

中国共産党十八大以来、中国は反貧困に力を入れ、精確な救済戦略を実施し、貧困人口の減少速度を大幅に加速させ、二〇一二～二〇一六年における貧困人口の占める比率は一〇・二％から四・五％まで下がった。これと同時に、国家の各種政策による低所得層の所得増加および低所得層を重視した再分配といった取り組みにより、一部の低所得者は中所得層へと成り上がった。どのような基準を用いて測ろうとも、中国のここ数年における中所得層の規模は拡大傾向にあり、理想的なオリーブ型の所得分配構造が形成されていっている。全体から見ると、中国の所得格差は全方位で縮小され、大衆が経済成長の恩恵を受ける度合いや、達成感がより一層高まった。

五　生態文明——「緑水青山こそが金山銀山である」

経済発展が一定段階に達すると、人々は生態文明に対して重視するようになる。主要国家の生態文明はランキングから分かるように（図4—9と図4—10を参照）、経済の成長に伴い進歩しており、二〇〇〇年前後の中国における生態文明の進歩は明確なものだった。習近平総書記は生態文明貴陽国際フォーラム二〇一三年年会の祝電で「グリーン経済の発展、循環型社会の発展、低炭素設備の発展を更に自覚的に推し進め、生態文明の構築を経済、政治、文化、社会といった各方面の構築の全過程に取り入れ、資源の節約と環境の保護といった体制、産業構

造、生産方式、生活方式を徹底し、子孫のために青い空、緑の大地、清い水の整った生活環境を残すべきだ」と述べている。(1)

中華人民共和国成立以来の生態文明建設の歩みを振り返ると、一九四九年から今日に至るまで、主に以下の五つの段階に分ける。①早期模索段階（一九四九～一九七七年）。歴史の局限性と国内外の情勢といった影響により、生態環境の議題はマージナルゾーンの段階から中共と国家の指導者の重視を得ていた。②基礎を固める段階（一九七八～一九九一年）。この段階における生態実践の最大の貢献は環境保護を基本的な国策と定め、「中華人民共和国

(1)　習近平「生態文明貴陽国際フォーラム二〇一三年年会の祝電」、新華網、二〇一三年七月二十日。

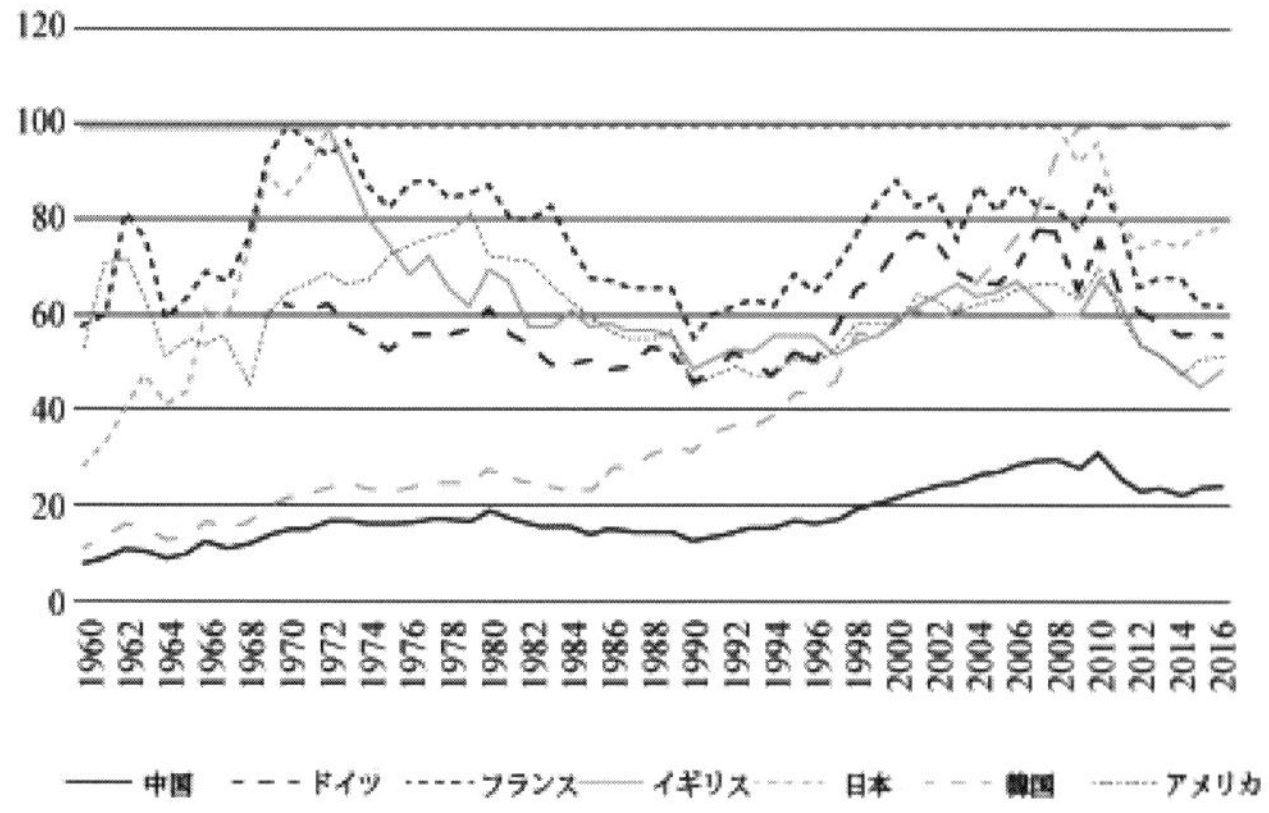

図 4-9　　主要国家の生態文明の点数

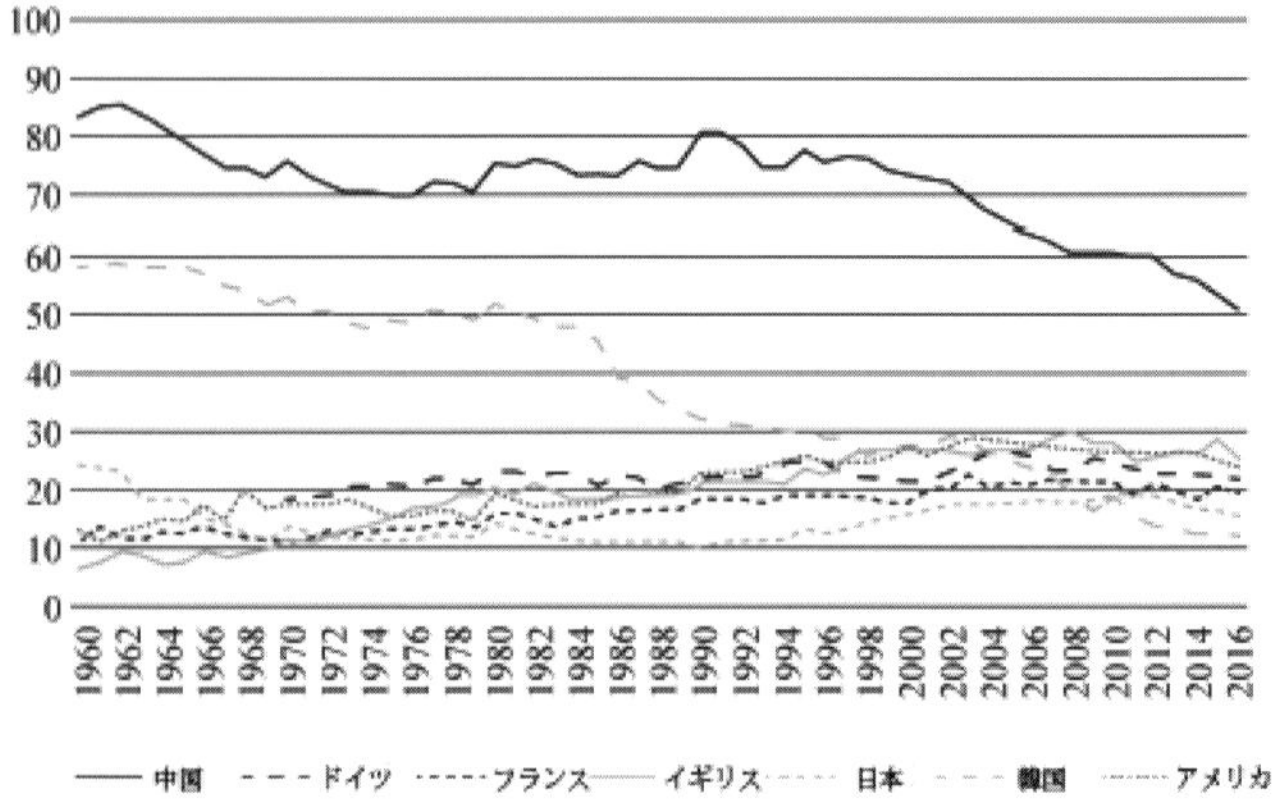

図 4-10　主要国家の生態文明のランキング

環境保護法」が実施された。③安定した展開段階（一九九二～二〇〇二年）。中共中央が持続的な発展といった理念を国家戦略へと上昇させた。④全面推進段階（二〇〇三～二〇一二年）。科学発展観と生態文明の理念を提出し、生態文明の建設を国民の福祉、民族の未来にかかわる長期的な大計と位置づけていた。⑤発展を深化させる段階（二〇一三年～）。生態文明建設の戦略的意義と全体的配置をさらに明確にし、生態文明建設の制度体系を完備し、経済発展と環境保護の関係を調和させ、生態文明建設を絶えず深く推進していく。

　中国共産党十八大以来、中国は従来にない決心と力で生態環境の保護を推し進め、大気・水・土壌汚染の防止行動の効果は顕著だ。セメントや板ガラスなどの立ち遅れた生産能力を廃止する上で、鉄鋼過剰生産能力一・七億トン以上、石炭過剰生産能力八億トンを削減した。また、散炭管理を強化し、重点業種の省エネと排出削減を推進し、七一％の石炭発電ユニットが超低排出を実現した。燃料の品質を向上させ、排ガス基準を満たさない二千万台以上の古い自動車（黄標車）を淘汰した。重点流域・海域の水質汚染防止を強化し、肥料や農薬の使用量をゼロ成長にした。「大気十条」における各任務が順調に達成された。二〇一三年と比べ、二〇一七年の中国全国三百三十八の地域および都市におけるＰＭ10[1]の平均濃度は二二・七％下降し、京津冀（北京、天津、河北）や長三角（揚子江デルタ地帯）、珠三角（珠江デルタ地帯）などの重点地域におけるＰＭ2・5の平均濃度はそれぞれ三九・六％、三四・三％、二七・七％下降している。二〇一五年、中国全国の化学酸素要求量の排出は二〇一二年と比べて八・三％下降し、アンモニア性窒素排出量は九・三％、二酸化硫黄排出量は一一・二％、窒素酸化物の排出量は二〇・八％下降していた。二〇一六年には観察された三百三十八の都市において、空気の質が基準に達している都市は二四・九％を占め、前年より三・三％上昇しており、ＰＭ2・5の濃度は四十七マイクログラム／立方メートルとなり、前年より六％下降していた。二〇一六年の近岸海域の海水にお

（1）燃焼による塵、飛散した土壌、工場などで生じる粉塵、車の排気ガス、花粉の抗原、黄砂など有害とされる物質を大気汚染物質として扱う際に用いられる呼称。

ける水質観察では、中国の国家一類・二類海水水質標準に達した観測点が七三・四%となり、二〇一二年と比べて四%増加しており、逆に四類・劣四類の海水は一六・三%で二〇一二年と比べて七・六%減少していたことが分かる。また、二〇一六年の単位GDPのエネルギー消費・用水量はそれぞれ二〇一二年と比べて一七・九%、二五・三%下がっていた。二〇一七年の単位GDP当たりのエネルギー消費量は前年同期と比べて三・七%減少した。二〇一六年末の原子力発電容量は三四六四万キロワットで、二〇一二年と比べて一六・七%増加した。風力発電は一・四七四七億キロワットで一四〇・一%増加した。ソーラー発電は七六三一万キロワットで二一・四倍まで増加した。二〇一六年の造林完成面積は七二〇万ヘクタールで、二〇一二年と比べて二八・七%増加した。水土流失の修復面積は五六二万ヘクタールで、二〇一二年と比べて二八・六%増加した。この五年で、中国の砂漠化から修復された都市面積は累計一億五〇〇〇万ムー、造林完成面積は五億八〇〇万ムー、森林カバー率は二一・六六%に達し、同時期における全世界の森林資源の増加が最も多い国家となった。二〇一六年末の都市の生活ごみの無害化処理率は九六・六%に達し、一一・八%の増加だった。都市部の緑化率は三六・四%で〇・七%の増加であり、都市の環境総合管理能力が向上していることが分かる。

生態文明建設の進展を量化するべく、我々は環境汚染、エネルギー消費、緑化面積の三方面から測ることとした。その中で、環境汚染の面では世界銀行が公表している「PM2・5濃度」並びに「基本的な衛生管理が行き届いた人口の比率」といった二つの指標を用いる。微小粒子状物質とも呼ばれるPM2・5は、大気中に浮遊している直径二・五マイクロメートル以下の粒子状の物質を指す。PM2・5は長時間大気中に浮遊することが可能で、空気中に含まれるPM2・5の濃度が高ければ高いほど汚染は深刻になる。一九九〇年の中国のPM2・5の濃度は四八・四ミリグラム／立方メートルだったが、十数年の間に経済発展と共にPM2・5の濃度も上昇し、二〇一四年にはピーク値である五七・九ミリグラム／立方メートルに達した。しかしその後、中共中央と民衆の環境保護問題への重視に伴い、この指数は徐々に下降し、二〇一六年に五六・三ミリグラム／立方メートルまで低減した。また基本的な衛生サービスが行き届いた人口の比率は二〇〇〇年には六一％だったが、二〇一六年には七五％まで上昇し、これは一年あたり平均的に一％増加している計算になる。

エネルギー消費の面では、中国の単位GDPエネルギー消費は一九八〇年の二・六六四標準石炭トン／万元といった値から二〇一六年の〇・六六二標準石炭トン／万元まで削減され、これは一万元のGDPを生産するにあたり消耗するエネルギー量が二・六六四標準石炭トンから〇・六六二標準石炭トン、すなわち七五％減少したこととなる。緑化面積の指標では、中国の森林面積は一九九〇年に一五七万一四〇六平方キロメートル、森林カバー率は一六・七％だったが、この数値も上昇し続け、二〇一五年にはすでに二〇八万三二一三平方キロメートル、森林カバー率は二二・二％まで増加した。

二〇一七年に国連環境計画が発布した「中国クブキ生態財富評価報告」では、中国の砂漠化改善のモデルが見本として使われており、第三回国連環境大会では、サイハンバ林場の建設者が国連環境保全最高栄誉である「アース・ガーディアン賞」を獲得し、中国の生態文明建設における成功を世界にアピールすることとなった。

六　中国の五大文明の指標分析

最後に、我々は五大文明の理念に基づき、各国の総合的な現代化指数のランキングを作り上げた。ほぼ全ての指標の開始年は一九六〇年だ。一致性を保ち、縦方向と横方向の二つの視角から比較を行うべく、一九六〇年からサンプル中の全ての国家に関してランキングづけを行った。図4―11と図4―12から分かるように、欧米と日本は終始現代化指数のランキングの前列を保持しており、特にアメリカは常に上位三国以内の位置を保持し続けている。日本はかつてアメリカに接近したが、二十世紀九十年代末の経済衰退により順位を落としている。しかし、それでも日本の現代化指数は常に上位十国以内を保持している。韓国の現代化の歩みは主に二十世紀九十年代から始まっており、今は正に追い越しをかけている時期だ。

中国を観察すると、一九六〇年の世界現代化指数のランキングは四十一位だったが、その後七十年代末に至るまで、中国の現代化指数のランキングは衰退する傾向にあり、一九七八年には五十八位まで落ちていた。しかし改革開放政策が、中国現代化の加速をもたらした。二十世

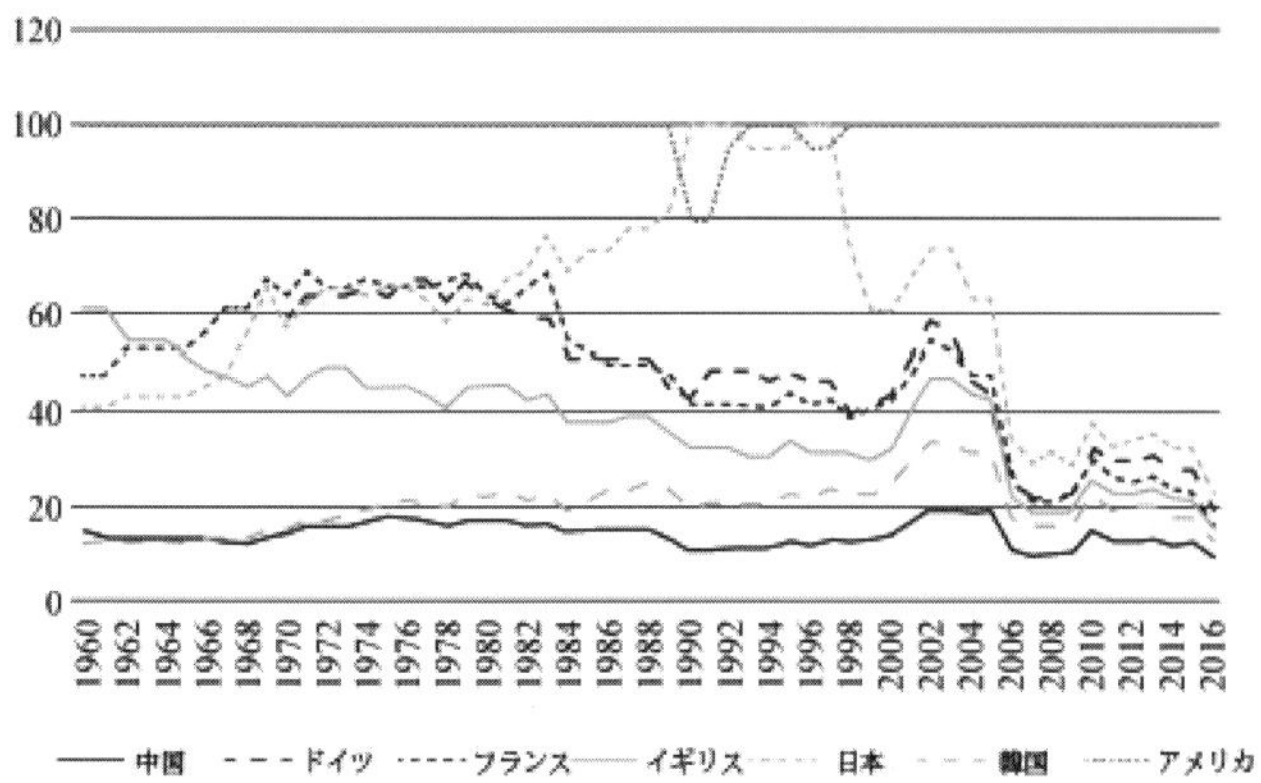

図 4-11　　主要国家の現代化プロセスの点数

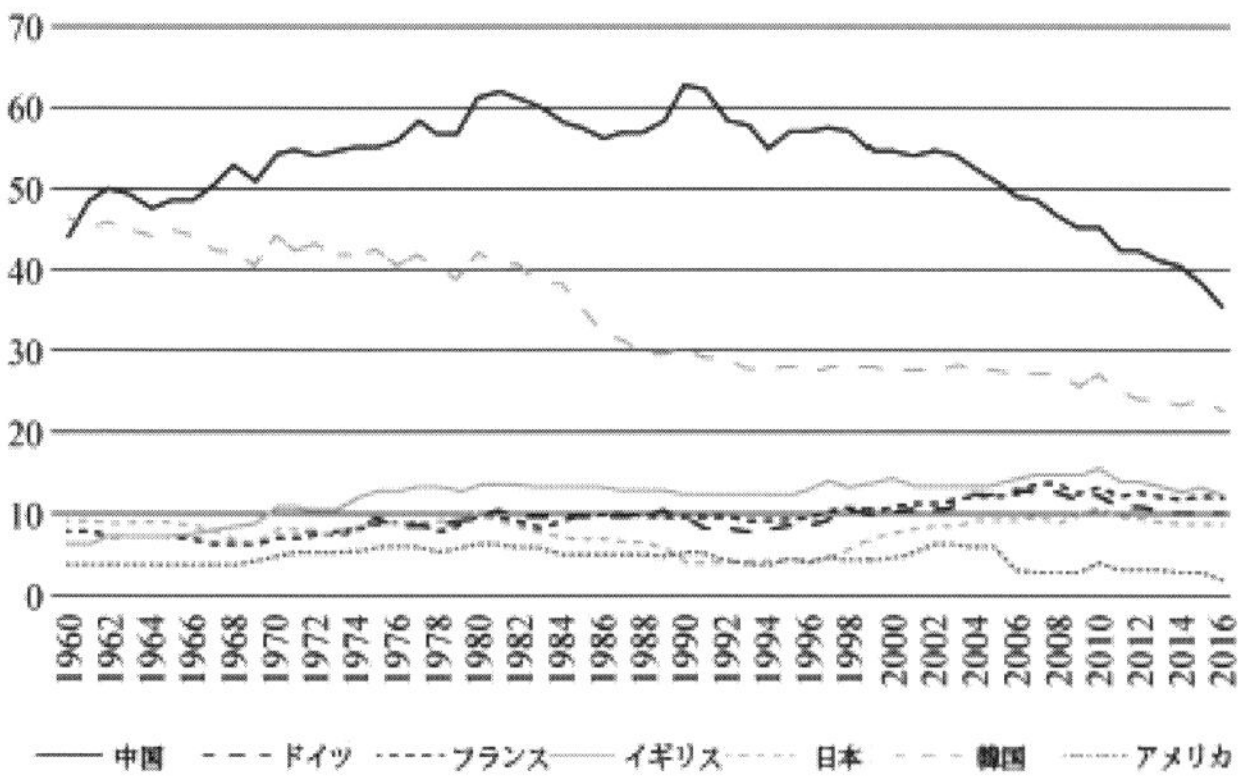

図 4-12　　主要国家の現代化プロセスのランキング

紀九十年代初頭の中国の現代化指数のランキングは多少下降したものの、全体的な傾向は世界ランキングにおいても追い越しをかけていた。二〇一六年には三十二位まで上昇し、一九六〇年以来の最高順位となった。

第二節　二〇三五年、二〇五〇年の経済目標の展望

中国共産党十九大で描かれた新しい青写真は「二つの百年」、すなわち、二〇二〇年（建党百年）までが小康社会を全面的に建設する決勝期であり、二〇五〇年（建国百年）までに、中国を富強・民主・文明・調和の美しい社会主義現代化強国にすることだ。

「二つの百年」の発展目標は抽象的だが、抽象的な目標はつねに中央が上から下への動員、検証、評価を容易にする具体的な目標に転化しなければならず、専門家や学者の議論は、抽象的な目標を具体化する過程で生まれる。まず、国内外では「小康社会」に関する明確な定義がなされていない。しかし、歴代の中国共産党代表大会では経済目標に関して十年ごとにＧＤＰの倍増を実現しなければならないと言われているため、二〇二〇年のＧＤＰが二〇一〇年の倍であるということを全面的な「小康社会」の基本目標或いは最低目標と設定するのが妥当であろう。次に、我々は「現代化強国」を「高所得国家」と定義づけた。ここからは我々は「二つの百年」の目標に関するいくつかの重要な問題を討論し、ちなみに、二〇三五年にほぼ現代化

されたときの経済水準を計算する。[1]

まず一つ目は、二〇二〇年にGDPが二〇一〇年に比べて二倍になるためには、どれほど速い経済成長率が必要なのかという問題だ。

二〇一〇年の中国の現価GDPは四一万三〇三〇億元であるため、二〇二〇年には八二万六〇六〇億元という計算になり、二〇一〇～二〇二〇年の平均的な毎年のGDP増加率は七・一八％に達している必要がある。中国国家統計局の公表データによると、二〇一七年の中国の現価GDPは八二万七五四億元[2]で、二〇一八年のGDPは九〇万三〇九億元[3]だ。これは「二つの百年」といった経済目標が二〇一七年の段階でほぼ実現し、二〇一八年には超額して完成しているということを意味する。

二つ目は、「現代化強国」を「高所得国家」と定義するのなら、この基準は何であるのか、またどの程度の経済成長率であれば実現できるのかという問題だ。

二〇一四年の世界銀行の高所得国家の定義は一人当たりGNI（一人当たりの国民総収入）が一万二七四五米ドルを超えた国だ。高所得国家の基準が変わらないという前提で考えると、

（1）聶輝華「中国経済成長目標に関するいくつかの重要な問題」、財新網、二〇一七年十一月十四日。
（2）「国家統計局二〇一七年国内総生産（GDP）に関する最終確定公告」、国家統計局ウェブサイト、二〇一九年一月二十八日。
（3）「国家統計局二〇一八年国民経済と社会発展統計公報」、国家統計局ウェブサイト、二〇一九年二月二十八日。

になる。しかし、高所得国家の基準は例えば二〇〇四年では九三八五米ドルだったものが、二〇一四年には一万二七四五米ドルになるなど、動態的に調整されるものだ。もし、二〇一五～二〇五〇年の高所得国家の基準となる一人当たりGNIの増加率を二〇〇四～二〇一四年の一人当たりGNIの平均増加率である三・一一%と仮定した場合、二〇五〇年時点の高所得国家の一人当たりGNIの基準はおおよそ三万七二二八米ドルとなる。二〇一六年の中国の一人当たりGNIが八二六〇米ドルという状況を考えると、二〇一七～二〇五〇年の一人当たりGNIの増加率は四・六七%以上になって初めて二〇五〇年に高所得国家となる計算になる。また、一人当たりGNIとGDPの増加率が同等であると仮設した場合、二〇一七～二〇五〇年のGDP増加率も四・六七%以上になるということになり、中国が一九七八年から四十年に及ぶ中高速経済成長を遂げていることを前提に、もし中国経済がずっと約五%の成長速度を二〇五〇年まで持続するのであれば、中国は七十年以上の中高速経済成長を実現するということになる。

しかし、上述の計算方法は決して厳密なものではなく、数字の「トラップ」が存在する。世界銀行の発展レベルの定義は一人当たりGNIに基づいているが、専門学者たちの計算では一人当たりGNIが一人当たりGDPとして計算されており、また人口の増加率はほぼゼロと仮設されいる。そのため一人当たりGDPの増加率がGDPの増加率とほぼ同じになっている。

よって、この二つの指標の転換によって生まれる誤差は大きいものだ。何故ならば、一人当たりGNIと一人当たりGDPには誤差があるからだ。もし一国において外国からの投資が多く、本国の住民或いは企業の対外投資が少なかった場合、GDPはGNIより大きくなる。現在転換期である中国はまさしく「GDPがGNIより大きい」の状態であるため、一人当たりGDPを一人当たりGNIと代替して中国の経済成長を計算すると、中国の経済水準を過大に算出してしまうこととなる。また、一人当たりGDPの増加率とGDPの増加率にも差がある。現在の中国人口の自然増加率は二十世紀八十年代の一六‰から近年の五‰まで下がっている。「一人っ子政策」を全面的に実施すれば人口増加率は上昇するが、高齢人口の比重も上昇する可能性がある。もし非労働人口の増加率が上がれば、一人当たりGDPの増速はGDPの増速より遅いものとなる。つまり、我々はGDPの増速の期待値を更に上げる必要があり、実質中国が先進国の所得を実現する難度を上げることとなる。

三つ目は、中国の二〇一七年から継続して六％のGDP増加率を保持すると仮定して、いつになればアメリカに追いつくのかという問題だ。また、もし中国が二〇五〇年に先進国の水準に達した場合、GDPはアメリカの何倍になるのかという問題もある。

現在の為替レートで計算すると、二〇一六年の中国とアメリカのGDPはそれぞれ一一兆一九九一億米ドル、一八兆五六九一億米ドルだ。中国が二〇一七年から継続して五％のGDP増加率を保持し、アメリカは二・五％の増加率を保持し、尚且つ為替レートの変化を考慮しないと仮定した場合、おおよそ二〇三七年に中国のＧＤＰがアメリカ（三一兆米ドル）に追いつく見込みだ。つまり、中国が二〇三五年にほぼ現代化された中国の経済規模は、アメリカの経済規模とほぼ同じなのだ。そして二〇五〇年に中国が現代化強国の目標を達成した時の経済総量（五八兆米ドル）はおおよそアメリカの経済総量（四二億米ドル）の一・三八倍になる。これに基づき我々は中米両国のＧＤＰ競争図を作った（図４―13を参照）。

勿論、上述の結果はあくまで現段階の状況に基づいて行われた演算であり、中国がもし「二つの百年」といった中長期目標を実現する場合、経済成長の速度が求められるだけでなく、国内外の様々な挑戦に立ち向かい、良好な国内外の環境の構築、都市経済体制改革の深化、ハイテク技術の革新、労働力素質の向上などといったいくつかの改革と直面することとなるだろう。

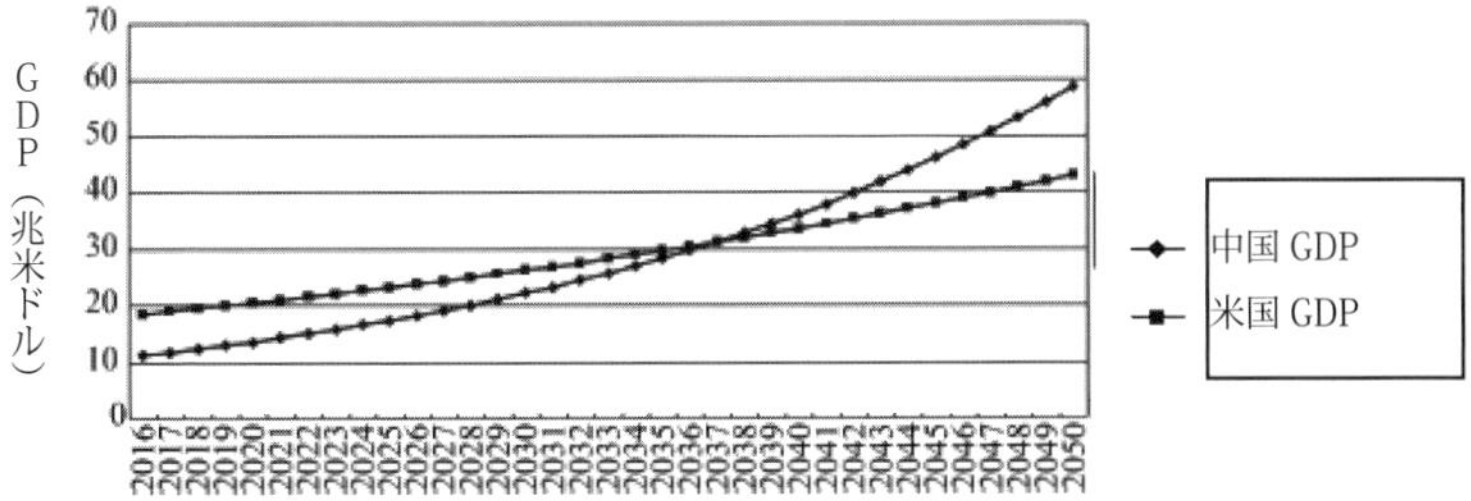

図 4-13　　中米両国のＧＤＰ競争（2016 ～ 2050 年）

第三節 「現代化の基本的な実現」と「現代化強国」の目標の量化分析

中国共産党十九大において、習近平総書記は国内外の傾向と中国の発展における客観的な国情を総合的に分析し、中国現代化の歩みにおける「二ステップ」といった戦略を制定した。第一ステップは、二〇二〇～二〇三五年に全面的な「小康社会」を構築した上で、更に十五年奮闘し、社会主義現代化を基本的に実現するといったものだ。第二ステップは二〇三五年から今世紀の半ば（二〇五〇年）にかけて、現代化を基本的に実現した上で、更に十五年奮闘し、中国を富強・民主・文明・調和の美しい社会主義現代化強国にするといったものだ。

「現代化の基本的な実現」と「現代化強国」の目標は、中国の現代化プロセスにおける二つのマイルストーンのようなキーポイントだ。これに対し、この一節では二つの目標に対する量化した分析を行う。比較分析の前提として、合理的な参照系が必要であり、このデータを比較できるようにするために、アメリカの二〇一七年の五大文明指標の五〇％、八〇％といった水準値をそれぞれ目標達成の目安とした。世界銀行は一人当たりの所得（ＧＮＩ）を高所得国、中・

高所得国、中低所得国、低所得国の四つに分類しているが、二〇一六年のすべての高所得国の中で、アメリカの一人当たりの所得スコアはおおよそ八十点前後に相当し、アメリカより一人当たりの所得が高い国の多くは産油国（カタール、クウェートなど）や国際タックスヘイヴン（ケイマン諸島、バミューダ諸島、ヴァージン諸島など）、そして人口の少ない国（シンガポール、ルクセンブルクなど）、或いはヨーロッパの高福利国家（スイス、ノルウェーなど）だった。こうした比較から分かるように、アメリカは高所得国の中では一般的な国であり、現代化の最前線での参照系として適していると考えられる。

五大文明の分析という枠組みの中で、物質文明は他の文明の基礎であると言える。また、一人当たりGDPとGDPの推算は前文で示した通りだ。産業構造といった面では、二〇一五年の中国の製造業とサービス業がGDPを占める比重は、それぞれ二九・四％と五〇・二％だったが、同年のアメリカの製造業とサービス業がGDPを占める比重は、それぞれ一一・三％と七八・九％だった。ここから分かるように、中国の産業構造の調整には一定の距離があり、未来の発展傾向としてはサービス業の比重が上昇し、農業と製造業の比重が下降するのが妥当であろう。貿易の開放度といった面では、中国の貿易がGDPを占める比重は既にアメリカを越しており、二〇一六年の中米両国のこの指標はそれぞれ三七・一％と二六・六％であり、中国の対外貿易における開放の態度を表している。さらに重要なのは、中国の輸出商品の品質が近年ますます向上していることだ。ハイテク製品の輸出が製造業製品の輸出に占める割合を例にすると、二〇一六年に中国のこの指標は既に二五％を越しており、アメリカの一九％よりも高い割合で、これも中国が今バリューチェーンの曲線に沿い高付加価値といった方向に向けて進んでいることの表れだ。対外貿易以外にも、外資企業への魅力といった視角から見ると、中国はアメリカと比べ、外資企業への魅力は不足しているが、両国とも外資の流入（GDPを占める比重）の差は、二〇一五年の中国は二・二％でアメリカは一・八％と、あまり大きくないことが分かる。都市化率の面では、中米の差は非常に顕著であり、二〇一六年の中国の都市化率は五六・七％であるのに対し、アメリカは常時八一％以上を保持している。都市化は未来の中国経済発展の必然的な傾向だ。全体的に、物質文明の面における中米の差は徐々に縮小されており、対外貿易と研究開発投入といった面では既にアメリカを越している部分もある。総合点数から見ると、二〇一六年の中国の物質文明はおおよそアメリカの三分の一に接近しており、尚且つ安定した上昇といった傾向を保っている。

政治文明において、中国は政治安定の面で比較的良い成績を収めている。「政治安定と暴力・テロリズムからの脱却」といった指標から見ると、アメリカは二〇一五年の〇・六七から二〇一六年の〇・三五まで下がっているが、全世界におけるテロリズムの勢いが広がり、ポピュリズムの台頭を背景にしても、中国の政治安定スコアは約〇・五前後で安定しており、外部環境からの衝撃に直面した国家の強靭さを示している。上述したいくつかの主要国家の政治文明のボラティリティは五大文明の中でも最も激しいもので、現在の国際情勢の不確実性と対応の難しさを反映している。全体的に見ると、外界の変化にかかわらず、中国は政治文明において強い粘りを見せている。

精神文明における中国の進歩も非常に明確なもので、これは主に中国の教育、中でも基礎教育における大幅な投入のおかげだ。平均教育年数から見ると、中米両国の平均教育年数はそれぞれ七・五年と一三・四年であり、両国の差は五・九年だ。基礎教育の普及面における中国の進歩は更に明瞭だ。中学入学率（総人口を占める割合）を例に見ると、一九七一年の中国は三七・七％、アメリカは八三・九％で両国の差は四六・二％だったが、二〇一三年には中国の中学入学率（九五％）がアメリカ（九四・七％）を追い越した。性別ごとに見ると、中国女性の教育の普及における進展は更に明確だ。一九七八年の中米両国の女性入学率はそれぞれ四五・九％と八五・四％だったが、当時の総人口の中学入学率はそれぞれ五三・六％と八六・四％だった。ここから分かるのは早期の中国は女性の中学入学率が男性より低かったのに対し、アメリカの男女の中学入学率は概ね接近したということだ。しかし、四十年の発展を経て、中国の女性入学率が大幅に上昇した。二〇一三年の中国女性の中学入学率は九五・九％に達し、同年のアメリカ（九四・七％）を越しただけでなく、中国国内における男性の中学入学率をも越していた。また、文化の実力といった面における中国の研究開発投入の増加は著しく、二〇一六年の中国の研究開発従事者数は二十四万人以上になり、世界一位となった。全社会における研究開発経費の支出は一万五四四〇億元に達し、ＧＤＰを占める割合は二・一％となった。ちなみに、同年のアメリカの研究開発経費支出がGDPを占める割合は二・八%だった。歴史的なデータから見ると、一九九五〜二〇一六年の間における中国の研究開発費支出の年平均伸び率は二一%で、GDP成長率を大きく上回っており、研究開発の強度が着実に向上していることを示している。次に、科学技術のイノベーションといった視角では、特許と論文の数をイノベーション算出量として見た時に、一九九五〜二〇一五年において中国国内の発明特許の申請受理数は一年あたり二一・七%伸びていることが分かる。そして二〇一六年の中国の十億GDP(購買力平価米ドルで計算)に対応するPCT(Patent Cooperation Treaty)の国際特許出願点数は世界十七位で、前年より八位上昇した。WIPO(世界知的所有権機関)が二〇一七年に発表した「二〇一七年グローバルイノベーションインデックス——イノベーションが世界を育てる」によると、中国のイノベーション指数ランキングは二〇一六年の二十五位から二〇一七年の二十二位まで上昇しており、総合的なイノベーション能力では中・高所得国の中で一位だった。つまり、中国のイノベーションは投入・生産性ともに迅速な成長を遂げているということになる。しかし研究開発の投入においては数量型の増加であり、質の向上とった部分はより強化すべきだ。「中国企業イノベーション能力百千万ランキング(二〇一七)」のデータによると、九万社余りのハイテク企業が出願した発明特許は全体特許の四〇%以上を占めているが、そのうち有効発明特許が全体特許数を占める割合はわずか二五%に過ぎない。全体的に、中国の精神文明の水準は五大文明の中でも進展が比較的早く、将来は大学教育とイノベーションの質といった部分で推進していく必要があるだろう。

社会文明といった面では、中国は常時「和を以て貴しと為す」といった協調を心掛けた伝統的な思想を貫いており、これは社会構造全体の安定性や調和的な状態に表れている。民族分裂と宗教分裂といった二つの指標における中国の表現はアメリカよりも良いものだ。また、人々の生活水準の向上に伴った、人々の健康意識の強化と、国家の医療体制における投入の増加により、二〇一六年の中国の平均期待寿命は七六・三歳に達し、アメリカの七八・七歳との差は縮まっている。

生態文明の面では、中国はまだ発展途上の段階であるため、先進国との差はあるものの、一人当たりの所得の増加に伴い、国民・政府の環境保全意識は日々増強しており、こうした差を縮めている最中であることは確かだ。ＰＭ２・５の濃度を例にすると、中国は二〇一〇～二〇一六年の間において、五八・二といった値から五六・三といった値まで下がっており、国民の環境保全に対する要求とは一定の距離があるが、傾向としては改善の方向に向いている。また、基礎衛生施設の普及率といった面でも、中国はアメリカなどの先進国との差を縮めており、「基本衛生サービスを受けられる人数（総人口を占める割合）」から見ると、中国は二〇〇〇年の六〇・六％から二〇一六年の七五％まで上昇しており、同期のアメリカは常に九九％前後を維持していた。燃料エネルギー消費が総エネルギー消費を占める割合においては、中国とアメリカの水準は非常に近いものであり、二〇一六年の両国はそれぞれ八七％と八二％だった。中国は今後、よりクリーンなエネルギー使用といった方向に向けて努力している。二酸化炭素の排出も生態文明を測るうえで非常に大切な指標だが、これに関して中国は既にアメリカを追い抜いている。二〇一六年の中米両国の一人当たりの二酸化炭素排出量（トン）はそれぞれ七・五と一六・五であり、中国が大国として責任を持ったエネルギーの排出の軽減といった努力が垣間見える。また、森林がカバーする面積の比率において中国は未だ一定の差があるものの、この差は徐々に縮まっている。アメリカの森林がカバーする面積の比率は、一九九〇年では三三％前後だったが、中国の同数値は一九九〇年の一六・四％から二〇一六年の二二・二％までといった安定した増加ぶりを見せている。全体的に、中国は大国として責任を持った生態管理の義務を果たしながら、生態文明において成功を収めていると言えるだろう。

第四節　中国現代化の新たな道のりのチャンスと挑戦

一　現代化の新たな道のりのチャンス

偉大な目標であろうと、偉大な事業であろうと、最終的な完成には「天の時、地の利、人の和」といった三つの要素が大切になってくる。中国現代化の新たな道のりは史上最大の工程であり、「中国の夢」の実現過程であるため、そう容易く順調に成し遂げられるものではない。しかし、国内外の社会情勢に注目すると、中国現代化の新たな道のりは多くのチャンスに溢れており、当然一連の挑戦も待ち構えている。正しく習近平が述べた、「中国は現在改革開放と社会主義現代化の建設といった偉大な過程を辿っている最中で、チャンスと挑戦が、そして困難と希望が併存しており、任務は重く、道は遠い」、といった言葉の通りだ。[1]

中国現代化の新たな道のりにおけるチャンスは、以下のいくつかのチャンスが考えられる。

（1）「習近平　党の純潔性と各種任務を頑丈に保持する必要がある」、人民網、二〇一二年三月十六日。

一つ目のチャンスは、総体的に安定した国際環境だ。安定した外部の環境は良好な内部の発展環境となる。習近平が「我々は小康社会を全面的に建設し、富強・民主・文明・調和の美しい社会主義現代化強国を実現させる必要があるが、国際分野で直面する第一の任務は、中国発展の重要な戦略的チャンスを見極め、中国の改革開放と社会主義現代化の建設のために平和な国際環境と有利な外部条件を創造することである」[(1)]と強調した。近年、世界の情勢は依然として不安定で、局地的な沖突が発生しているが、全体的には大多数の国家が「平和と発展」に力を入れている。第二次世界大戦以来、世界における大規模な戦争や紛争は大幅に減少しており、特にアメリカ、イギリス、フランス、ドイツ、日本、ロシア、中国などといった重要国家の政治と経済の情勢は比較的安定しており、戦争や大規模な衝突が起こる可能性は極めて低いため、世界は平和に向かっていると言えるだろう。中国と周辺国家の関係も全体的に安定の傾向で、大規模な周辺紛争や戦争は起こりそうもない。国別のデータで見ると、世界各国の全体的な経済水準の多くは比較的安定しており、発展モデル転換の国家は日々経済社会モデル転換を推し進め、発展途上国は日々追い上げるために奮闘し、世界の貧困人口は減少してきている。国連が発表した「千年発展目標二〇一五年報告」によると、極端な貧困人口は一九九〇年の十九億人から二〇一五年の八・三六億人まで減少しているが、その多くの進展は二〇〇〇年以降の実

（1）「党の対外業務が再度輝きをもたらす」、新華社、二〇一一年一月十七日。

績であると言われている。

二つ目は、強力な政治の保証だ。国際環境に加えて、中国国内における最も重要な発展条件は政治的安定であり、この点において中国は非常に有利だ。中国共産党の指導のもと、中国の政治秩序と政治体制は長期に渡り安定し、基本方針が連続性を保持してきた。習近平総書記は「中国共産党十一期三中全会以来の十一年の歩みから分かるように、中国共産党の第二世代指導部は党の建設で偉大な新工程を切り開き、新時代の党建設における新たな進歩を生み出し、根本から改革開放の開始と推進、社会主義現代化建設の新しい局面の開拓と発展を保証した」(1)と指摘している。過去数十年の政治指導者交替の状況と傾向を観察すると、中国の上層政治体制は「超安定」状態にあることが分かる。事実として、ハーバード大学の経済学者であるアンドレ・シュライフアーなどの研究でも、政治の安定が経済の改革に良好な環境を与えるといった結論が出ており、これもまた中国経済の過去数十年に渡る急速な成長における有利な点の一つだ。

三つ目は、厚い経済基礎だ。一九七八年の改革開放から今日に至るまで、中国はずっと中高速な経済成長を保持しており、既に世界でもっとも成長の速い経済大国となっている。世界銀行の統計データによると、一九七八〜二〇一五年の中国の年平均GDP成長率は九・七四％に

---

(1)「習近平「改革開放三十年　党の建設の振り返りと思考」」、学習時報、二〇〇八年九月八日。

達しており、約四十年の中高速成長を実現している。ちなみにアメリカ、イギリス、日本、ドイツといった主要先進国の年平均GDP成長率はそれぞれ二・七二%、二・二七%、二・一七%、一・八一%であり、中国の経済成長の速度が先進国を著しく上回っていることが分かる。BRICS(ブラジル、ロシア、インド、中国、南アフリカ)を代表とした新興国の中でも中国の経済成長の速度はずば抜けて速いもので、ランキング二位のインド(毎年の平均GDP成長率は五・九七%)の一・六倍だ。[1]二〇一七年の中国のGDPは八二万七五四億元であり、公式の為替レートで換算するとおおよそ十三兆米ドルで、アメリカのGDPの六〇%に相当する。中国の過去数十年の中高速経済成長および世界ランキング二位といった絶対的な経済規模は、未来数十年の経済成長に分厚い物質的な基礎を築いている。そのため、中国が経済成長方式のシフトアップ、構造調整、新旧エネルギーの転換を完成させれば、中国は更に数十年の中低速の成長を保持することが可能な見込みだ。シミュレーターによる演算では、中国の二〇一六年の一人当たりGNI(国民総収入)が八二六〇米ドルであることを踏まえ、二〇一七~二〇五〇年の一人当たりGNIの成長率が四・六七%以上に到達すれば、二〇五〇年には高所得国家になるという計算になる。[2]したがって、物質文明の指標から分かるように中国は二〇五〇年に「現代

(1) 聶輝華「社会の主要な矛盾から転化した経済学分析」、経済理論と経済管理、二〇一八(二)。
(2) 関連アルゴリズム参考:聶輝華「中国経済の成長目標に関するいくつかの重要な問題」、財新ネット、二〇一七年十一月四日。

化の新たな道のり」といった目標を実現することは現実的であるのだ。

四つ目は、莫大な国内市場規模だ。市場経済の時代において、市場は力だ。そして市場の力は市場の絶対的な規模或いは消費水準によって左右される。中国国家統計局のデータに基づくと、二〇一六年の中国全国の総人口は一三・八二七一億人だが、そのうち都市に常住している人口が七・九二九八億人で、総人口を占める割合（常住人口の都市化率）は五七・三五％となり、戸籍人口の都市化率は四一・二％だ。世界範囲から見ると、二〇一七年の中国人口は一四・〇五億人であり、世界人口の一八・八二％を占めている。ちなみにランキング二位のインドは一三・〇四億人で、三位のアメリカは三・二二億人だ。ここ十年の中国の人口数は、安定しつつ増加するといった傾向にあり、都市化率は徐々に上昇している。中国の現在の一人当たりの所得が八千米ドル以上に達したことも相まって、市場の前景は無限の広さがあると言えるだろう。中国国家統計局は世帯の年間可処分所得が九万元から四十五万元を基準に推計したところ、二〇一五年の中国の中位所得世帯は二四・三％を占め、中位所得層は三億人余りに達した。上述の二種類の基準から計算すると、中国の中等収入階層の総数は世界一位であり、広大な市場は現代化の新たな道のりのために需要の基礎を定めた。これは現代化強国を実現するための市場保障だ。

五つ目は、比較的高い教育水準だ。巨大な人口規模が現代化の新たな道のりのための需要の保障を提供するならば、平素よりよく訓練された労働者階層は現代化の新たな道のりを実現する要素の保障と捉えることができる。二〇一五年に中国の教育部は教育部は、「国家中長期教育改革と発展計画要綱（二〇一〇~二〇二〇年）」の五年間の実施状況を総括評価した。その結果、二〇一四年の中国の小学校の入学率は九九・八％で、中学校の就学率は一〇三・五％で、義務教育の普及率が高所得国家の平均水準を上回った。高校の入学率は八六・五％で、中・高所得国家の平均水準を上回った。大学の入学率は三七・五％で、中・高所得国家の平均水準を上回っている。これは、中国の教育レベルが既に中国の発展段階を先取っているということになり、現代化の新たな道のりを事前に実現する可能性をもたらしている。

二　現代化の新たな道のりの挑戦

一つ目の挑戦は、国際政治・経済の秩序が変革中であるということだ。もちろん、国際社会は「平和と発展」を追求し、古い国際政治・経済の秩序は崩壊しているが、新たな国際政治・経済の秩序は完璧に立ち上がっていない。最も分かりやすいのは、大国間における駆け引きが複雑で、変化しやすく、競争が激しいといった現象だ。特に、米ソ（旧ソ連）二国による寡頭政治が崩壊した後、アメリカだけが世界のトップの座を握っているが、一極化だけでは覇権システムを安定することが難しい。中国が立ち上がることが世界大国間の駆け引きのルールと結果を大幅に改変し、国際社会において注目される「トゥキディデスの罠」(1)を引き起こすこととなる。すなわち、新たに立ち上がった大国は必然的に既存の大国に挑戦することとなり、既存の大国もまた必然的にこうした威嚇に応えなくてはならないため、衝突することから免れることは難しい。中国には「トゥキディデスの罠」を避ける自信と知恵があるとは言えども、大国間では理性的な協力を行うのが適切であろう。

二つ目は、「人口ボーナス」(2)が消えているということだ。中国が四十年に渡る中高速経済成長を成し遂げたのは、制度のおかげでもあるが、中国の「人口ボーナス」が「メイドインチャイナ」に低いコストといった利点をもたらしたという要素が大きい。しかし、人口数の増加と人口構造の変化により、中国の「人口ボーナス」は徐々に減少している。国連の統計によると、中国の二十五～四十四歳の人口（青壮年労働力）の規模は、二〇一三年前後で既にピークに達しており、当時の全国人口の三三％を占めていた。これは巨大な「人口ボーナス」だった。しかし、その後青壮年労働力の割合は持続して下降している。近年では出生率の低下と平均寿命の増加により高齢化が進んでいる。二〇一五年の十五～六十四歳の人口が全人口を占める割合

(1)　古代アテナイの歴史家、トゥキディデスにちなむ言葉で、従来の覇権国家と、台頭する新興国家が、戦争が不可避な状態にまで衝突する現象を指す。アメリカ合衆国の政治学者グレアム・アリソンが作った造語。
(2)　「人口学的ボーナス」とも呼ばれ、労働力増加率が人口増加率よりも高くなることにより、経済成長が後押しされることをいう。

は七二%で、二〇一一年のピーク値より二・五%減少している。専門家の見解では、「人口ボーナス」の変曲点は既に通り越しており、中国は労働力コストが上昇し続ける「新常態」へと突入しているというのが通説だ。そして、先発の先進国の先進技術と、後発の新興国の低いコストの利点が中国を「中所得国の罠」へと陥れる可能性がある。

三つ目は、改革が深水の域に辿りついてしまったことだ。中国改革の主な経験の一つとして「改革は先に既存の利益構図に触れることなく、民間部門の急速な発展を推進し、後に国有企業の改革、政府機構の改革を推進し、インフラを強化し、市場環境を整備する」といった改革の戦略があり、こうした「二重構造」の方法は改革のコストを下げるのに有効的だった。しかし、改革が深水の域に入ってしまうと、簡単に変えられるものは全て改変し終わり、残った「硬い骨」の部分の処理といった問題に直面している。水深が深ければ深いほど、改革にはトップレベルのデザイン(頂層設計)と推し動かす力が必要になり、システム全体の改革が必要となる。そしてシステム全体の改革におけるリスクは、局部的な改革よりも到底大きいものとなってしまう。こうした背景のため、上層指導部の大きな改革の決意、非常に高い改革の知恵、非常に強い改革の定石が必要となってくる。したがって、強く統一された中央指導部がなければ改革で成功を収めることは非常に難しくなり、経済成長における主要動力が消失してしまう。つまり、中央が集合体となった団結力と改革の知恵が現代化の新たな道のりの終着点を決定する。

四つ目は、社会の矛盾が突出しているという点だ。現在の中国は転換型社会といった位置づけだ。転換の一つは伝統的な計画経済システムから現代市場経済システムへの転換であり、もう一つは伝統的な農業社会から現代工業社会への転換だ。この転換の過程では、法治の不完備や不完全な制度、あるいは社会保障体制の不十分といった問題が残っている限り、多くの社会問題や衝突を免れることはほぼできない。特に中国共産党十八大以前は貧富の差が激しく、一部では特権などといった現象も存在し、また腐敗現象も深刻だったため、社会の分裂や「金持ちを恨む」、「官を恨む」などといった各階層間の対立が引き起こされてしまった。それにより、社会の安定と団結に影響がおよび、全国の上下一心となった改革・発展が困難になり、現代化の新たな道のりの実現を妨げてしまう結果となった。

五つ目は、環境とエネルギーによる束縛が強いということだ。中国は世界上でも環境汚染が深刻な国家の一つだ。中国の大気汚染、水質汚染、騒音問題、固体廃棄物汚染といった環境問題は、どれを取っても非常に恐ろしいものだ。第二十九回北京オリンピック公式サイトの報告では、「中国の専門家による保守的な予測では、毎年環境汚染と生態破壊によって引き起こされる経済損失は二千億元に達し、一九九二年の国民総生産（GNP）の九％くらいとなる」と指摘していた。[1]エネルギー消費において、中国は世界の半分近くの石炭、銅、鋼鉄、ニッケル、亜鉛を消費している。そのため、中国の持続的な発展といった問題は世界からの強い注目を浴

（1）　http://sports.sina.com.cn/s.2006-08-24/22342417025.shtml.

びており、もし中国経済が一定の速度を保持して成長するのであれば、経済成長の方式は粗放型から集約型、要素と資本による駆動からイノベーションによる駆動といった方向にシフトする必要があり、中国の創造が技術の創新といった制度環境をよりよくすることとなる。経済成長の方式と原動力の転換は決して簡単なものでなく、大きな決心と長期にわたる時間が必要となってくるのだ。

第五章　結論とアドバイス

第一節　主な結論

習近平総書記が中国共産党十九大報告の中で提起した中国現代化の新たな道のりの実現は、二〇二〇年に全面的に小康社会を築いた上で、二〇三五年には社会主義現代化を基本実現し、二〇五〇年には中国を富強・民主・文明・調和の美しい社会主義現代化強国にするものだ。これは「二つの百年」目標のアップグレード版でもある。現代化の新たな道のりの提案は、中国の現代化事業の実現における新たな目標を定め、「中国の夢」の実現に向けた新たな内在的構成要素をもたらし、中国共産党と中国全国に新たな方向を示した。

二〇一四年五月四日の北京大学師生座談会で、習近平は「富強・民主・文明・調和の美しい社会主義現代化強国を築き上げ、中華民族の偉大な復興を実現することは、アヘン戦争以来の中国人民のもっとも偉大な夢であり、中華民族の最高利益と根本利益である。今日の我々十三億人の奮闘はすべてこの偉大な目標を実現するためである」[1]と強調した。

(1)　習近平「青年は自覚的に社会主義核心価値観を実践していこう」、新華社、二〇一四年五月四日。

習近平総書記のスピーチは、現代化の新たな道のりにおける歴史のロジックと現実的な意義を明確に示している。現代化国家への新たな道のりは習近平新時代の中国の特色ある社会主義経済思想の重要な内在的構成要素であり、現代化国家への新たな道のりのロジックの起点を理解することとは、つまり中国の歴史的背景と国家の運命を理解することだ。「現代化国家への新たな道のり」目標の提出は、まず、中国の富強を目標とし、国民を中心とした発展を目指した価値観を表している。そして、時代の使命と見通した目標も表しており、時代の需要が大きく反映されている。最後に、この目標が表しているのは、目標と問題を導き手としての戦略思想だ。現代化国家への新たな道のりの実現における最も重要な制度環境は、正しく中国の特色ある社会主義制度体系であり、現代化国家への新たな道のりの完成に向けた主な経路は、現代化された経済システムを構築することだ。

各国或いは各地域の現代化の進展度合いをはかるべく、我々は習近平総書記が提起した「五大文明」の理念をベースにした新たな現代化国家の指標システムを作り上げた。この指標システムは物質文明、政治文明、精神文明、社会文明、生態文明といった五つの一級レベル指標からなり、この五つの一級レベル指標は、更に相応の二級レベル指標に分けられ、そこから更に具体的な三級レベル指標へと分けられる。そして、三級レベル指標の評価とスコアからその国家或いは地域における現代化の進展度合いをはかることが可能になる。既存の現代化指標システムに比べ、五大文明に基づいて作られた現代化指標システムは、完備性、量化性、可用性、比較性の四原則を満たしている。

そして、我々は五大文明の視点から、アメリカ、イギリス、ドイツ、日本、韓国の現代化の歩みを細かく分析し、現代化におけるいくつかの規則性を見出した。その規則とは、①産業構造の移動はペティ＝クラークの法則に則る、②生産・投資による駆動からイノベーションによる駆動への転換、③市場が資源配置において決定的な役割を発揮する、④経済の現代化は政治の現代化より先である、⑤人口の流動は「都市化」から「逆都市化」へ転換することがある、⑥普遍的に人口は高齢化問題に直面する、⑦所得の分配を表すクズネッツ曲線、⑧生態環境にもクズネッツ曲線が現れる——といったものだ。

最後に、本書では五大文明の視角から中国現代化のプロセスを分析し、主要国家との比較を行った。そして二〇二五年、二〇三五年、二〇五〇年の経済成長の目標を展望し、最終的に中国の現代化強国構築におけるチャンスと挑戦を分析した。

第二節　政策のアドバイス

一つ目は、改革の深化と全面的な開放だ。中国は一九七八年以来四十年に渡る中高速な経済成長を実現してきたのは、改革開放といった偉大な戦略を続けてきたことに大きく由来している。これは鄧小平を核心とした第二世代中共中央指導部が作り出した最も重要な戦略のうちの一つだ。現在、中国の改革は深水の域に入っており、開放は新たな局面と新たな挑戦に直面している。習近平を核心とした新時代の中共中央指導部は「中国の夢」と現代化国家への新たな道のりを実現するために、改革開放といった国策を継続させ、中でも特に国内の改革深化と対外的な全面開放は力を入れるべきだ。まさしく習近平総書記が話した「改革開放とは長期的で困難で煩雑な事業であり、必ず世代を超えたリレー式で継続させる必要がある。社会主義市場経済の改革といった方向、対外的な開放といった国策を保ち、更に大きな政治の勇気と知恵を持ち、タイミングを見計らって重要な領域における改革を深化させ、中国共産党十八大で示された改革開放の方向へと奮闘し前進する必要がある」[1]といった言葉のとおりだ。現在の改革に

(1)　習近平「革開放は進行形だけで完了形はない」、『習近平　国政運営を語る』第一巻、北京、外文出版社、二〇一四年。

おける主な方向と難点は、経済改革が要素市場の建設を推進させ、行政の独占を減少し、地区の保護主義を打ち破り、国内における統一された市場経済体系を構築する。政治改革は民主法治制度を充実させなければならず、中でも特に「腐敗しない、腐敗できない、腐敗したくない」という廉政体系を形成し、権力に対する監督を強化しなければならない。社会改革は各種社会組織の発展を促進させ、合理的な垂直移動性を維持しながら、「小さな政府、大きな社会」という現代社会の構造を構築する。

二つ目は、政治の安定を維持し、法治建設を推進させることだ。国内外の経験によって、安定した政治環境が経済社会発展のために必要な保障であることが証明されている。習近平総書記は、「我々が中国社会の大局的安定を保つことが、改革開放と社会主義現代化建設のために良好な環境をもたらす」[1]と指摘した。現代化強国の建設とは長期目標であり、数世代の人々による持続した奮闘が必要であるため、安定した政治環境もおのずと必要になってくる。安定した政治環境は政治制度によって保証されるだけでなく、現代社会は法治に頼る必要があるため、法に基づいて国を統治することで初めて国民、企業、そして政府に安定がもたらされ、そこから平穏な発展といった大環境を作り出すことが可能となる。法に基づいた統治の核心は、与党

(1) 習近平「切実に党の思想を中共十八期三中全会の精神に統一させる」、『習近平 国政運営を語る』第一巻、北京、外文出版社、二〇一四年。

が率先して憲法と法律の権威を維持し、政府は法に基づいて行政を行うということだ。

三つ目は、新しい国際情勢に適応し、全世界の資源を自身で利用していくということだ。中国は既にグローバル経済一体化の過程に大きく溶け込んだ現代化大国・強国であるため、内政と外交は相互依存の関係にある。内政と外交の関係は切り離せないものだが、内政と同じ方式で外交を扱ってはならない。如何にして、煩雑な国際情勢のもと、大国の駆け引きに参加し、「国際ゲーム」の規則を主導し、全世界の資源を利用できるかが、新時代の中国の外交における核心的な難題だ。特に、現在の大国の駆け引きは複雑で、アメリカ・ヨーロッパ・ロシア・中国間の関係はシビアなのに対し、中米貿易摩擦などが更に火に油を注ぐこととなり、国際政治における政治体制に多くの不確定性をもたらしている。中国は責任感のある世界大国になる必要があり、責任感に欠けた実力を暴露するだけの策略は、理想とは言えないため、冷静・沈着に応対し、自身の定位を正確に理解し、すべてのことをするのではなく、もののよしあしをよく考えて、よいと思うことをしなければならない。

四つ目は、技術の創新に力を入れ、核心技術を握ることだ。競争策略の大師であるハーバード大学ビジネススクールのマイケル・ポーター教授は、一国の経済発展は、生産要素志向、投資志向、イノベーション志向、富裕志向の四段階に分かれると考えている。(1) 第一段階から第三

（1） Michael P. The Competitive Advantage of Nations,MA:Free Press, 1990.

段階は、国家の競争を優位にする主要な力であり、通常は経済的繁栄をもたらす。中国は現代化を実現し、現代化強国になるにあたり、重要なのは第一、第二段階から第三段階へと上がること、すなわち主に科学技術のイノベーションと制度の刷新に基づき、全要素の生産性を高め、テレベルな量的競争から抜け出すといったことだ。ではなぜ創新を強調するのだろうか。その理由は習近平総書記が指摘した「主に資源などの要素の投入に依存した経済の成長と規模を拡張する粗放型の発展方式は持続させることが不可能である。現在、世界における先進国の人口は合計で十億人前後だが、中国には十三億人以上の人口があり、その全てが現代化に突入すれば、世界における先進国の人口数は倍以上になる。私たちは現在の先進国のように資源を消費する方式で生産・生活できるとは想像できない。もしそうなれば世界の資源は足りなくなってしまう。かつての道が通れないのなら、新しい道は何処であろうか。それは正しく科学技術のイノベーションであり、生産・投資による駆動からイノベーションによる駆動への転換である」[1]といった言葉の通りだ。大国にとって、比較優位に頼ることは必要だが、それだけでは足りなく、確実に一連の核心技術を自らの手に握りしめていることが必須で、そうでなければ目まぐるしく変わりゆく国際競争において、他国に主導権を奪われかねない。

五つ目は、要素市場の発展を推進し、統一された完全な市場経済システムの構築を加速させ

(1) 習近平「中国科学院第十七回院士大会、中国工程院第十二回院士大会でのスピーチ」、人民網、二〇一四年六月十日。

ることだ。中国経済の高速な成長は、主に製品市場の激烈な競争のおかげであり、中国が「世界の工場」になるための制度的基盤を筑いた。しかし、無視できないのは、中国のファクター市場がまだ十分に発達していないことだ。土地、信用貸付、労働力、ミネラル資源などの生産要素市場は、依然としてあまり発展しておらず、製品市場の発展を停滞させている。上述の重要な生産要素が基本的に国有部門の手の中に握られており、そして国有部門の市場化レベルは非国有部門より停滞している傾向があるため、二重の停滞といった問題が発生し、長期的な目で見ると、製品市場の発展が制約され、中国製品の国際競争力を制限してしまうこととなる。そのため、対外開放を推進する新体制は、中国製品の国際競争力を向上させ、中国製品の付加価値を高める必要がある。そのためには、まず要素市場の改革を加速させる必要があり、その中でも地区保護主義を打ち破り、労働力や土地などの重要資源の地域を跨いだ流動を促進し、統一された完全な市場経済システムを構築することが大切になってくる。

六つ目は、新たな政商関係を築き、ビジネス環境を改善することだ。近年、世界各国では、良好なビジネス環境が経済発展の必要条件であると認識されている。世界銀行の二〇〇三年から公表されているビジネス環境報告では、各国のビジネスにおける便利さのスコアがランキング付けされている。中国の全体のランキングは一般的に八十位前後で、ランキングに参加した一九〇カ国の中で中位より上にランクされた。また、二〇一三年より中国の中央政府が推し進めている「放管服」[1]を核心としたビジネス環境の改革の効果は非常に著しいものだ。世界銀行の報告によると、中国の管理の最適化と権限の委任といった改革が起業を容易なものにしており、税務の流れの簡素化が企業の納税を容易なものにしている。しかしながら、中国は所有権の登録、少数投資者の保護、国際貿易などといった面における、便利さのレベルは下降傾向にあり、これらの領域の改革の歩みは他国より遅れているということになる。[2]ビジネス環境の改善において重要なのは、新たな政商関係を築くことだ。まさしく習近平総書記が指摘した「新たな政商関係をまとめていうと、〝親しさ〟〝清さ〟が大切になってくると言われている。政府は民営企業に多くサービスをし、〝君子交わりは淡きこと水の若し〟といった具合で民営企業と明瞭で正常な関係を築く必要がある」[3]といった言葉の通りだ。

七つ目は、都市化の歩みを加速させ、都市と農村の統一といった発展を推進させることだ。各国の現代化における歴史的な経験から分かるように、都市化は現代化において必ず通る道であり、現代化の歩みを推進させる重要な動力だ。そのため、中国が社会主義現代化強国になる

(1)「简政放权、加强监管、优化服务」の略。二〇一三年より提唱されている中国の国家政策で、行政の市場干渉や審査業務を減らし、市場原理による発展促進を図るもの。
(2)聶輝華、張雨瀟「権力の肉を痛割してこそビジネス環境がよくなる」、鳳凰網、二〇一八年七月二十八日。
(3)習近平「動揺せずに我が国の基本経済制度を維持し、経済の健康的な発展を促す」、『習近平　国政運営を語る』第二巻、北京、外文出版社、二〇一七年。

ためには、必ず都市化を重要視する必要がある。中国は世界上で最も多くの人口を有しており、市場が秘めるポテンシャルも最大だ。しかし、人口数が市場になるためには都市化が必要になってくる。それに、都市化の歩みを加速させ、都市と農村の統一といった発展を推進させることは、都市と農村の所得格差を縮め、社会の調和と安定をもたらすことにも貢献する。習近平総書記は「都市と農村の発展の不平衡と不協調は、我が国の経済社会の発展に存在する突出した矛盾であり、全面的に小康社会を構築し、社会主義現代化の推進によって解決すべき重大な問題である。改革開放以来、我が国の農村では日進月歩な変化が見られた。しかし、都市の二元構造は基本的に変わっておらず、都市と農村の発展の差が拡大されるといった傾向は根本的に変わったことがなかった。これらの問題を抜本的に解決させるためには、都市と農村の発展の一体化を推進する必要がある」[1]と強く指摘している。一九七八年から二〇一八年は中国経済の高速成長の過程であり、都市化率が上昇し続けた過程だった。現在の中国の都市化率は六〇％近くであるが、先進国の都市化率は一般的に七〇％～八〇％であり、都市と農村の格差もあまり顕著ではない。そのため、中国が現代化強国になるには、都市化率といった面で進歩の余地があるのだ。

(1)　習近平「『中共中央の全面的な深化改革に関する重大な問題の決定』に関する説明」、人民網、二〇一三年十一月十五日。

参考文献

Ahluwalia M S, Carter N G, Chenery H B. Growth and Poverty in Developing Countries. Journal of Development Economics, 1979(6).

Bairoch, Paul, The Main Trends in National Economic Disparities since the Industrial Revolution, in Paul Bairoch, Maurice Levy- Leboyer, eds., Disparities in Economic Devel-opmentsince the Industrial Revolution, London: Palgrave Macmillan, 1981.

Black C E. The Dynamics of Modernization. New York: Harper & Row Publishers, 1966.

Buera F J, Kaboski J P. Scale and the Origins of Structural Change. Journal of Economic Theory, 2012(1).

CampanoF, Salvatore D. Economic Development, In-come Inequality and Kuznets`U-shaped Hypothesis. Journal of Policy Modeling , 1988(10).

EliasN. The Civilizing Process: Sociogenetic and Psycho-genetic Investigations (Revised Edition). Oxford: Blackwell, 2000.

Hu A G Z, Jefferson G H. FDI Impact and Spillover: Evidence from China`s Electronic and Textile Industries. World Economy, 2002(25).

Lee D, Wolpin K I. Intersectoral Labor Mobility and the Growth of the Service Sector. Econometrica, 2006(74).

Michael P. The Competitive Advantage of Nations. MA: Free Press, 1990.

Reinhard B. Tradition and Modernity Reconsidered. Comparative Studies in Society and History, 1967(9).

曹月如、馬海燕「固化と文化——新興宗教組織の運作機制の分析」、塩城工学院学報（社会科学版）、二〇一三（一）。

常雪梅、程宏毅「五年以来、習近平が中国の夢に関して話している」、人民網、二〇一七 年十一月二十九日。

常健、李志行「韓国の環境衝突史の発展を衝突管理体制の研究」、南開学報（哲学社会科学版）、二〇一六（一）。

陳佳「依法治国による社会主義政治文明の建設を推進に関して」、中共銀川市委党校学報、二〇一七（五）。

陳静文「時代の発展要求に適応した女性の参政権の推進」、領導科学雑誌、二〇〇八（五）。

陳柳欽「国内外現代化指標システムの標準について」、全球科学技術経済瞭望、二〇一一（一）。

陳興剛「環境汚染と防治におけるスモッグとPM2・5について」、地理教育、二〇一三（一）。

陳友華「現代化スコアシステムの構築と問題」、社会科学研究、二〇〇五（二）。

陳志全、李躋進「イギリスの教育の現代化の家庭から教育の伝統と変革を見る」、宿州学院学報、二〇〇六（二）。

陳卓「日本環境教育の特徴と啓示」、貴州教育学院学報（自然科学版）、二〇〇七（二）。

崔永学、張軍澍「平和社会の視野における公民の道徳教育に関するいくつかの思想教育研究」、二〇一二（九）。

崔長集「民主化以降の民主主義」、ソウル、Humanities 出版社、二〇一〇年。

鄧小平「鄧小平文選」第三巻、北京、人民出版社、一九九三年。

方世南「蘇州の現代化の基本実現の意味合いと指標システムにまつわる思考」、東呉学術、二〇一一（二）。

付成奴「自然保護の征服から荒野の保護まで――環境史視野のアメリカの近代化」、歴史研究、二〇一三（三）。

富永健一『日本の近代化と社会変動――テュービンゲン講義』、講談社学術文庫、一九九〇年。

弓克「五つの文明論」、今日の中国フォーラム、二〇〇八（五）。

顧明遠『民族文化伝統と教育の現代化』、北京、北京師範大学出版社、一九九八年。

顧鵬、馬暁明「住民の合理的な生活消費に基づいた、一人当たりの炭排出量の計算」、中国環境科学、二〇一三（八）。

郭玉、趙新力、潘雲涛、張玉華、朱暁東、宋培元「我が国の科学技術刊行物の基本状況の統計と分析」、編集学、二〇〇六（十八）。

郝広義「世界民族文化の背景下における中国民族の政策の反観」、湛江師範学院学報(哲学者社会科学版)、一九九一(二十)。

郝寿義、王家庭、張換兆「日本工業化・都市化と農地制度の歴史的考察」、日本学刊、二〇〇七（一）。

郝永平「現代化規則の初探」、江淮フォーラム、二〇〇〇（五）。

何伝啓「現代化強国建設の道のりと模式の分析」、中国科学院院刊、二〇一八（三）。

何伝啓『中国現代化報告二〇一八』、北京、北京大学出版社、二〇一八年。

洪勝宏、彭惜君「我が国の平均教育年数およびその展望」、現代教育科学（小学教師）、二〇一四（六）。

胡学鋒「全面的なゆとりある社会の建設とそれに対応した社会文明発展レベルの指標体系の研究」、広東商学院学報、二〇〇四（十九）。

黄英「法治は社会主義政治文明の内在的要求である」、学術フォーラム、二〇一一（六）。

姜太平「戦後の日本環境政策の変化と試み」、華中理工大学学報（社会科学版）、一九九九（二）。

蒋藍香「刑法における概念『汚染』の解析」、中国地質大学学報（社会科学版）、二〇一六（十六）。

靳高風「現在の中国の組織犯罪の現状『特徴』種類と発展傾向」、中国人民公安大学学報（社会科学版）、二〇一一（五）。

李蓓『「中国現代化報告二〇〇七」の『生態の現代化』を解読する」、蘇南科技開発、二〇〇七（三）。

李宏図「イギリス工業革命期の環境問題と治理」、探索と争鳴、二〇〇九（二）。

李輝、劉春絶「日本と韓国の都市化及び発展模式の分析」、現代日本経済、二〇〇八（四）。

李慶余、周桂銀『米国現代化の道路』、北京、人民出版社、一九九四年、九〇頁。

李守俊「都市の緑化面積の企画管理」、科学と財富、二〇一六（二十八）。

李天国「建材の転換・収入差と社会保障政策――韓国政府の探索」、東北アジア学刊、二〇一六（六）。

李文海「晩清歴史の屈辱記録――中国近代不平等条約の書」、プロローグ、清史研究、一九九二年。

李小京「現代化の意味合いと規律の解析」、嶺南学刊、二〇一七（二）。

李怡、羅勇「韓国工業化の歴史と啓示」、亜太経済、二〇〇七（一）。

李堅「二〇一七年の経済総量が80兆を突破 二〇一九年のGDP統一合算の実施」、新浪財経、二〇一八年一月十九日。

栗志明「国民の道徳指数指標体系の構築」、道徳と文明、二〇一二（四）。

梁柏力『誤解された中国――明清時代と今日』、北京、中信出版社、二〇一〇年。

梁啓超『李鴻章伝』、西安、陝西師範大学出版社、二〇〇九年。

林進成「ドイツ工業化の道における特徴」、世界歴史、一九八二（五）。

林喆「政治文明・精神文明と社会科学の発展」、法制と社会発展、二〇〇四（五）。

劉広磊、任沢偉「政府の管理能力の研究評述」、中共楽山市委党校学報、二〇一一（五）。

劉国新「周恩来と四つの現代化」、人民網、二〇一〇年十一月二日。

劉金源「イギリス工業化の模式と弊害」、湘潭師範学院学報（社会科学版）、一九九八（四）。

劉玲玲「環境汚染と食品安全」、中国食物と栄養、二〇〇六（二）。

龍小寧、王俊「中国の特許激増の原因とその質の効果」、世界経済、二〇一五（六）。

盧風「『生態文明』の概念の分析」、晋陽学刊、二〇一七（五）。

魯子琛「エネルギー利用と環境保護の関係」、山海経（故事）、二〇一七（三）。

羅能生、郭更臣、謝里「我が国の地域文化のソフトパワーの評刊研究」、経済地理、二〇一〇（九）。

羅栄渠『現代化新論』、北京、北京大学出版社、一九九三年。

毛沢東「中国・ネパール境界は永遠に和平友好である」『毛沢東文集』第八巻、人民出版社、一九九九年。

聶輝華「中国経済成長目標に関するいくつかの重要な問題」、財新網、二〇一七年十一月十四日。

聶輝華、張雨瀟「権力の肉を痛割してこそビジネス環境がよくなる」、鳳凰網、二〇一八年七月二十八日。

ケネス・ポメランツ『大分岐―中国、ヨーロッパ、そして近代世界経済の形成』、史建雲訳、南京、江蘇人民出版社、二〇一〇年。

漆玲「グローバル化における現代化指標と構築理念」、中共天津委党校学報、二〇一〇（四）。

銭弘道「専題特約司会者が語る――法治の質と中国の法治の実践学派」、宏観質量研究、二〇一六（二）。

ホリス・チェリー（ほか）『工業化と経済成長の比較研究』、上海、上海三聯書店、上海人民出版社、一九八九年。

「全国初の現代化指標体制が二〇二〇年にねらいを定める」、領導決策情報、二〇一二（十七）。

秦爽「習近平総書記の定調――現代化された経済体制はこのように建てる」、経済日報、二〇一八年七月十日。

「全国人口調査データ」、人口学刊、二〇一四年（五）。

任勇「韓国反腐敗の過程と経験」、国際利益情報、二〇〇七（四）。

施雪華「政府総合治理能力論」、浙江社会科学、一九九五（五）。

舒星宇、温勇、宗占紅、周建芳「我が国の人口平均予測寿命の関節計算と評価――第六回全国人口調査のデータに基づいて」人口学刊、二〇一四（五）。

宋林飛「我が国の基本的な現代指標システムの実現と評価」、南京社会科学、二〇一二（一）。

蘇守波、饒従満「アメリカ現代化の過程における公民教育の特徴」、外国教育研究、二〇一三（四十）。

隋秀英「世界現代化の歩みの特徴と啓示」、理論と現代化、二〇〇五（三）。

田湘波「政治理論の視野における清廉な政府の研究」、湖南大学学報（社会科学版）、二〇一四（一）。

田雨、季明「習近平が上海代表団の審議に参加する時の強調――思想の新解放が経済社会の新発展を促進させ、新突破が各事業の新進歩を促進させる」、解放軍報、二〇〇八年三月二十六日。

王発明「対外開放の総合評価指標体制の基本フレーム――杭州の例」、改革、二〇〇八（九）。

王薇「イギリスの推進する社会治理現代化の主要過程・特徴と啓示」、現代社会と社会主義、二〇一五（二）。

王新松「公民参与・政治参与・社会参与――概念の分析と理論の解読」、浙江学刊、二〇一五（一）。

王学海「精神文明意識の確立」、石油政工研究、一九九六（三）。

王雅琴「公民の秩序ある政治参与の推進」、理論視野、二〇一三（十一）。

鄔暁燕「ドイツ生態環境の治理経験と啓示」、現代社会と社会主義、二〇一四（四）

呉文侃、楊漢清『教育学の比較』、北京、人民教育出版社、一九九九年。

呉永保「都市の現代化及び指標体系の構築と応用」、都市発展研究、二〇〇一（八）。

習近平「青年は自覚的に社会主義核心価値観を実践していこう」、新華網、二〇一八年五月四日。

習近平「人民に信仰を、民族に希望を、国家に力を」、『習近平　国政運営を語る』第二巻、北京、外文出版社、二〇一七年。

習近平『小康社会（ややゆとりのある社会）の全面的完成の決戦に勝利し、新時代の中国の特色ある社会主義の偉大な勝利をかち取ろう――中国共産党第十九回全国代表大会での報告』、北京、人民出版社、二〇一七年。

習近平「中国発展の新起点　全世界における長期計画の増長――二十国集団工商蜂会開幕式での趣旨スピーチ」、人民網、二〇一六年九月四日。

習近平「中国共産党成立九十五周年を祝う会での演説」、人民日報、二〇一六年七月二日。

習近平「世界科学技術強国を建設するための奮闘――全国科学技術創新大会・両院院士大会・中国科学協会第九回全国代表大会でのスピーチ」、人民日報、二〇一六年六月一日。

習近平「中共中央の全面的な深化改革における重大な問題の決定』に関する説明」、人民網、二〇一三年十一月十五日。

習近平「中国科学院第十七回院士大会および中国工程院第十二回院士大会での演説」、人民網、二〇一四年六月十日。

習近平『習近平　国政運営を語る』第一巻、北京、外文出版社、二〇一四年。

習近平「全国人民代表大会成立六十周年大会でのスピーチ」、人民網、二〇一四年九月六日。

習近平「中共中央主催の党外人士座談会における司会スピーチ」、人民網、二〇一四年十月二十四日。

習近平「人民の友誼を深め『シルクロード経済帯』を共同建設しよう」、人民網、二〇一三年九月八日。

習近平「改革開放三十年　党の建設の振り返りと思考」、学習時報、二〇〇八年九月八日。

肖都好「如何にして全国民の精神文明の建設を増強するか」、文芸生活（文芸理論）、二〇一七（一）。

肖輝英「ドイツの都市化・人口の流動と経済の発展」、世界歴史、一九九七（五）。

謝立中「所謂『インガルスの現代化スコアシステム』に関するいくつかの討論」、江蘇行政学院学報、二〇〇三年（三）。

邢来順、周小粒「ドイツ帝国時代の社会現代化に関する歴史的考察」、華中師範大学学報（人文社会科学版）、二〇〇八（四）。

邢偉、董克用「国民収入差を衡量する指標体制の模索」、中国行政管理、二〇〇七（一）。

徐国安、肖暁勇、蒋義文「国防資源と国家資源が協調された配置の研究」、軍事経済研究、二〇〇七（二十八）。

徐静「国内外の腐敗指数及び比較研究」、中国行政管理、二〇一二（五）。

厳励「政治文明と政治の安定」、上海法学研究、二〇〇三（三）。

楊朝輝「アメリカ工業現代化の歩みと独特性の研究」、蘭州学刊、二〇一一（四）。

楊占国「我が国の政治文明の建設を推進する上のいくつかの思考」、中国特色社会主義研究、二〇〇七（五）。

于海静「アメリカ公民教育の歴史沿革・現状と発展傾向」、外国教育研究、二〇〇四（三）。

于津平、孫俊「基本現代化の指標体系及び中国東部地区の現代化の歩みおける役割」、江蘇行政学院学報、二〇一三（四）。

余永跌、樊奇「日本の環境治理の経験と教訓および有益な啓示」、経済社会体制比較、二〇一八（一）。

兪飛「四大公害の訴訟、日本司法を書き換える」、人民法院報、二〇一三年。

張愛茹『「小康」から「全体的な小康」へ――鄧小平のゆとりある社会理論の形成と発展の論述』、北京、中央文献出版社、二〇〇九年。

張愛珠・蘇明君「中国都市現代化指標システムおよび理論モデルの分析」、数量経済技術経済研究、一九九八（十）。

張暁明「アメリカの国家治理体制と治理能力の現代化プロセス　やり方と啓示」、現代世界と社会主義、二〇一五（二）。

張英嬌、楊魯慧「韓国民主政治発展の歴史、特徴と啓示」、現代世界と社会主義、二〇一四（二）。

趙徳勝「政治の文明の視野における公共管理体制」、岭南学刊、二〇一〇（一）。

中村隆英編「計画化と民主化」、『日本経済史』（七）、北京、生活・読書・新知三聯書店、一九九七年。

周茂栄、張子杰「対外開放度の測量研究に関する評価」、国際貿易問題、二〇〇九（八）。

朱強、兪立平「中国現代化の指標体系の評価と実証研究」、求索、二〇一〇（六）。

朱衛国「立法の質が法治の質を決める」、楚天主人、二〇一四（一）。

マルクス、エンゲルス『マルクスエンゲルス選集』第四巻、北京、人民出版社、二〇一二年。

中国科学院・持続可能な発展戦略研究チーム『中国の持続可能な発展戦略報告』、北京、科学出版社、二〇〇九年。

著者紹介

聶　輝華（ニエ・ホゥイホワ）中国人民大学経済学院博士課程修了（経済学博士）。ハーバード大学経済学部ポスドク研究員。中国人民大学国家発展戦略研究院副院長などを歴任。現任中国人民大学経済学部教授。主な著書に『政治企業の共謀と経済成長 :「中国モデル」を再考』（中国人民大学出版社）、『名声、契約、組織』（中国人民大学出版社）など。

鄒　静嫺（ゾウ・ジンシエン）北京大学国家発展研究院経済学博士課程修了（経済学博士）。世界銀行 (中国支社) 研究員などを歴任。現任中国人民大学国家発展戦略研究院副教授。世界銀行、アジア開発銀行、中国人民銀行、国務院財政部、国務院発展研究センターなどの機構で複数の研究プロジェクトに参与した。

中国現代化の新たな道のり

指標　データ　国際比較

2021年9月20日　初版第1刷発行

著　　　者　聶輝華　鄒静嫻
訳　　　者　蒲田啓世
監訳・発行者　劉偉
発　行　所　グローバル科学文化出版株式会社
〒140-0001 東京都品川区北品川1-9-7 トップルーム品川1015号
印刷・製本　モリモト印刷株式会社

ISBN 978-4-86516-069-7　C0033
定価3278円（本体2980円＋税10%）